LA VIE DE MONTAIGNE

JEAN PRÉVOST

La Vie de Montaigne

PRÉSENTÉ PAR BERNARD DELVAILLE

ZULMA

Avant-propos

Dans son Essai sur Montaigne *(1929), et le citant, André Gide notait :* « "S'il naissait à cette heure quelque chose de pareils, il est peu d'hommes qui le prisassent", disait-il de Socrate, et pouvons-nous dire de lui. À notre époque d'après-guerre, les esprits constructeurs sont en faveur particulière ; tout auteur est mal vu qui ne sait proposer un système. » *Et Jean Prévost, dès les premières lignes de sa* Vie de Montaigne *(1926) :* « On ne peut écrire vraiment bien que des vies d'hommes d'action... »

Et pourtant, en ces dernières années de guerre et en ces premières années d'après, Dada venait de surgir, proposant, pour un temps, de faire table rase et de tout oublier, Dada dont Gide encore écrivait, dès 1920 : « Et ce ne serait vraiment pas la peine d'avoir combattu durant cinq ans, d'avoir tant de fois supporté la mort des autres et vu remettre tout en question, pour se rasseoir ensuite devant la table à écrire et renouer le fil du vieux discours inter-rompu. » *C'est dire que ces années qui suivirent la Première Guerre mondiale furent celles de toutes les*

7

contradictions, de toutes les tentations, de toutes les tentatives, soit pour trouver du nouveau, soit pour se raccorder à l'ancien.

D'autres jeunes gens, de l'âge de Jean Prévost — et qui, bientôt, eux non plus, ne deviendraient pas des moindres — ne juraient, à la même époque, que par Lautréamont et Rimbaud, Apollinaire et Jarry. Ces jeunes gens, tels Aragon ou Soupault ou Rigaut, ne détestaient pas fréquenter le Bœuf sur le toit *et aimaient danser comme on aime danser quand on est jeune. Pour sa part, dans* Faire le point, *Jean Prévost écrivait : « À dix-sept ans, j'avais prononcé deux vœux : 1) Ne pas apprendre à danser (ni rien qui puisse devenir goût absorbant et aisé à satisfaire). 2) Ne pas apprendre la sténographie (ni rien qui puisse, après m'avoir aidé d'abord, me reléguer dans une position commode et subalterne). »*

Jean Prévost fut de ceux qui renouèrent « le fil du vieux discours interrompu ».

Né à Saint-Pierre-lès-Nemours en 1901, il fit ses études au lycée Henri-IV, puis à l'École normale supérieure de la rue d'Ulm, où il eut pour maître Alain (Jean-Paul Sartre, dans Situations II, *devait faire figurer Prévost dans un imaginaire courant littéraire « radical-socialiste ») et pour conseiller dans ses lectures le bibliothécaire Lucien Herr, dont l'influence intellectuelle fut considérable sur les étudiants de Normale supérieure. Très tôt, Jean Prévost avait fait des bibliothèques son domaine de prédilection et couvrait quantités de carnets « de citations et d'analyses ». Ainsi faisait autrefois, dans sa tour, Montaigne lisant les Grecs et les Latins.*

*Rendant compte, en 1936, de l'*Histoire de mes pensées, *d'Alain, il écrira : « Pour percevoir le*

8

moindre objet il nous faut croire, douter, juger, ainsi chacune de nos pensées, chacun de nos regards sur l'univers, est comme un abrégé de l'histoire humaine. » Montaigne écrivait dans l'Apologie de Raimond Sebond : « Le beaucoup de savoir apporte l'occasion de plus douter. »

Mais l'enseignement, auquel ses études le destinaient, n'allait pas retenir très longtemps Jean Prévost. Les méthodes universitaires ne lui avaient guère convenu. Dans Dix-huitième année, il raconte une sorte d'altercation qu'il eut, lors de son examen de licence, avec Gustave Lanson, alors grand maître des études littéraires et auteur d'un célèbre manuel : « Lanson me fit expliquer une lettre de Méré à Pascal contre les raisonnements sur l'infini. Je soutins Méré par tous les arguments qui d'Épicure à Renouvier ont fortifié cette puissante thèse. De sa voix lente et dodelinante, Lanson me répondit : "Ce qu'il fallait faire sentir dans ce morceau c'est l'insolence d'un petit esprit comme Méré d'affronter si impudemment un génie comme Pascal." Tradition, refus de penser les choses elles-mêmes, raisonnement par autorité, cette semonce résumait pour moi tout le pharisaïsme, tous les péchés contre l'esprit. »

Jean Prévost décida de choisir la littérature. Dès 1927, entre quelques essais sur Valéry, il publie Plaisirs des Sports, essais sur le corps humain et Tentative de Solitude. Ainsi s'amorce une œuvre qui sera très souvent tentée par le souci de l'autobiographie. En témoigneront, par la suite, des livres comme Essai sur l'introspection (1927), Dix-huitième année (1928), Faire le point (1931) repris dans les Caractères en 1948, Apprendre seul, guide de culture personnelle *(1940). Montaigne aussi n'avait-il pas commencé par apprendre seul, ou presque seul ?*

Dès 1925, Jean Prévost remarquait : « *Je crois qu'on ne peut bien écrire qu'en se refusant à tous les procédés, et qu'on peut suppléer à la richesse de l'invention par la patience et la bonne critique de soi-même.* » Une fois encore, tout Montaigne n'est-il pas contenu dans ces derniers mots ?

Il fallait vivre. Jean Prévost collabora à des publications nombreuses et variées : l'Œuvre, la Nouvelle Revue française, Intentions, *la revue de Pierre-André May (1922-1924). Enfin, Adrienne Monnier lui demanda de diriger avec elle le Navire d'Argent, revue qui eut douze numéros, du 1ᵉʳ juin 1925 à mai 1926, et dans le premier numéro de laquelle il fit paraître une étude sur* Cahier B 1910 *de Valéry.*

Dans ses **Souvenirs**, *Adrienne Monnier évoquera, plus tard, la figure de Jean Prévost :* « *J'avais beaucoup goûté* Jeunesse de l'Odyssée, *paru dans la N.R.F. en février 1925, écrit des plus appétissants. Prévost, dès les premières lignes, parle des Compagnons d'Ulysse dévorant les Bœufs du Soleil. Je me souviens d'une phrase : "Le parfum de la viande rôtie sortit du Grec et l'odeur se répandit dans toute la classe." J'avais remarqué également, dès 24, toujours dans la N.R.F., des extraits de* Plaisirs des Sports.

« *Prévost était un garçon très instruit, très bon grammairien. Normalien, c'est-à-dire esprit fort, volontairement laïque. Il avait le tempérament d'un encyclopédiste. C'était l'homme qu'il me fallait au Navire...* » *Et, plus loin :* « *C'était un très bon secré-*

taire de rédaction. Il savait se débarrasser des auteurs encombrants. L'excellent Rivière était mort depuis peu, il n'hésitait pas à leur dire que c'était la lecture de tant de manuscrits et les exigences des auteurs qui l'avaient tué. Oui, disait-il énergiquement aux jeunes poètes, qui se jugeaient injustement méconnus : Jacques Rivière en est mort, de vos histoires. Nous ne voulons tout de même pas en arriver là ! »

Comme il avait raison !

Marcelle Auclair arrivait du Chili. Valery Larbaud présenta son premier livre, Changer d'étoile. Jean Prévost l'épousa le 28 avril 1926.

Il fallait toujours vivre. Gallimard avait créé une collection de biographies intitulée, en hommage à Plutarque, Vies des hommes illustres. Les biographies étaient à la mode. En 1923, André Maurois, qui allait le devenir maître, avait publié Ariel ou la Vie de Shelley, « réussite qui restera un paradoxe », selon l'expression de Prévost, que devait suivre, en 1927, une Vie de Disraeli. On proposa à Jean Prévost d'écrire celle de Montaigne. Cela lui allait comme un gant. Le livre fut dédié à Maurois. C'était une tâche difficile, et Prévost en avait conscience : « Écrire la vie d'un homme qui n'a point vécu plus activement que les autres, et qui a parlé de soi mieux que personne ne pourra le faire, d'un homme que nous ne connaissons que par ses confidences, c'est une entreprise téméraire, sinon ridicule. » Mais Montaigne convenait à Prévost, qui avait le sens du doute, de la patience et de « la bonne critique de soi-même ». Il considéra, par la suite, ce travail comme « une sottise » et son « seul péché littéraire ». Il l'avouera dans les Caractères : « Je dictai

11

en deux jours et demi ma Vie de Montaigne, *pour toucher une petite avance : j'avais besoin de me vêtir pour un voyage dont le trajet m'était payé. Si je regrette le livre, je ne regrette pas l'expérience : voir grandir et faire grandir, mûrir, vieillir et mourir un homme aussi vite que les plantes au cinéma accéléré ; se sentir habité par la mémoire particulière du sujet et oublieux de tout le reste, enivrerait, n'était la fatigue : aux dernières pages, la voix rompue, la tête lourde, obsédé par cette vieille fille célèbre, je dictai deux fois le mot* Gournay *au lieu de* Montaigne. *Chose étrange, ce sont les deux seules erreurs qu'on ait pu relever dans le livre, et j'en ai trouvé de bien plus grosses dans le* Montaigne *concurrent, patiemment bâti à coup de fiches. J'ai dit beaucoup de mal de mon* Montaigne *et j'ai ainsi beaucoup contribué à sa réputation de médiocrité.* »

Relevons, toutefois, une troisième erreur : Jean Prévost fait mourir Montaigne en 1593 au lieu de 1592 !

Quoi qu'il en soit, la Vie de Montaigne de Jean Prévost constitue la plus agréable et la plus brillante introduction à l'auteur des Essais, l'une des meilleures approches de l'œuvre d'un écrivain qui, avec Pascal et Racine, Voltaire et Rousseau, Chateaubriand et Baudelaire, est à l'origine de notre sensibilité d'hommes d'aujourd'hui.

Sans apprêt, sans effort, Jean Prévost nous donne le fidèle reflet de son modèle. C'est que son livre est écrit au fil de la pensée, avec une liberté de ton que beaucoup peuvent envier, prenant garde de rien laisser dans l'ombre de cette vie dont nous avions appris, lors de nos humanités, les grandes étapes : l'éducation, l'amitié d'Étienne de La Boétie (« Parce que c'était lui, parce que c'était moi »), le voyage en Italie, la retraite dans la tour et les inscriptions sur les poutres, la mairie de Bordeaux, les Essais toujours remis sur le métier, et la mort : « Je plonge stupidement, tête première, dans ce muet abîme, qui m'engloutit et m'étouffe, en un moment, plein de fadeur et d'indolence. La mort, qui n'est qu'un quart d'heure de souffrance, sans conséquence et sans dommage, ne demande pas de préceptes particuliers. » La mort, comme on s'endort. Gide écrira « Rien ne peut mieux nous aider à comprendre vraiment Montaigne que de suivre à travers les Essais (et les successives éditions des Essais) la lente modification de son attitude en face de l'idée de la mort. »

Nul davantage que Montaigne n'eut le sens de la fugacité des choses, ne ressentit davantage le besoin de s'en inquiéter, de s'interroger, de douter, de se rassurer : « Sondant le gué de bien loin ; et puis, le trouvant trop profond pour ma taille, je me tiens à la rive. »

Pour mieux comprendre cette sagesse de Montaigne, il ne faut jamais oublier qu'il est né et mort dans un pays où le climat est léger, tantôt lavé par les brises marines, tantôt brûlé par les vents chauds du Sud, mais toujours équilibré, le « pays des vignes » cher à Hölderlin qui, dans son poème Souvenir, a mieux saisi que personne la douceur girondine :

Là vont aux jours de fête
Les femmes brunes
Sur le sol doux comme une soie
Au temps de mars,

13

Quand la nuit et le jour sont de même longueur,
Quand sur les lents sentiers
Avec son faix léger de rêves
Brillants, glisse le bercement des brises...

Montaigne, contrairement à Jean Prévost, n'eut rien d'un héros. Mais le souci du corps humain les rapproche, ce corps qu'il ne faut jamais ni mépriser, ni abandonner, mais « se rallier à lui, l'embrasser, le chérir, luy assister, le contreroller, le conseiller, le redresser et ramener quand il fourvoye, l'espouser en somme et luy servir de mary : à ce que leurs effects ne paroissent pas divers et contraires, ains accordans et uniformes. » Jean Prévost, trois siècles et demi plus tard, écrira : « Je le soutiendrai et le munirai d'une patience de chaque jour, afin qu'il me donne sa joie à ses heures, et assistance dans les épreuves. Si entier qu'il se prête à moi, je ne l'essaierai pas au-delà de ses forces ; s'il me déçoit je m'y appliquerai davantage encore, et me souviendrai que je lui dois tout et qu'il ne me doit rien. »

Mobilisé en 1939, Jean Prévost gagnera après la défaite Lyon où il terminera et publiera sa thèse de doctorat : la Création chez Stendhal, *parue en 1943. Il dirige la publication d'un numéro spécial de* Confluences *sur les problèmes du roman et travaille également sur Baudelaire, renouant « le fil du vieux discours interrompu ». Engagé dans la Résistance, il participe à l'organisation de l'armée secrète du Vercors. Il la rejoindra bientôt définitivement. Après l'écrasement des maquisards, en juillet 1944, il tentera avec cinq camarades de franchir les lignes allemandes pour rejoindre le maquis de l'Isère. Sur-*

pris, ils sont abattus sur place, à Sassenages, le 1er août 1944.

Montaigne avait écrit : « Si toutesfois j'avois à choisir (ma mort), *ce seroit, ce croys-je, plustost à cheval que dans un lict, hors de ma maison et esloigné des miens.* »

BERNARD DELVAILLE

Note

Écrire la vie d'un homme illustre, cela peut donner confiance à ceux qui « manquent de sujets » mais cela effraiera les autres : en essayant de saisir un homme de génie, l'auteur montre au public l'exacte limite de ses forces, et, ce qu'il en peut embrasser, cela le mesure. La vie d'un poète peut être attachante ; la biographie n'empiète pas sur l'œuvre, et peut se rendre nécessaire à la compréhension de l'œuvre. Les commentateurs ne l'ont que trop compris. La souplesse d'André Maurois, cette facilité à tout comprendre et à tout retrouver, cette aisance aussi, où nous sentons toujours qu'il fait moins qu'il ne pourrait faire, ont pu donner une admirable *Vie de Shelley*, mais cette réussite restera un paradoxe.

On ne peut écrire vraiment bien que des vies d'hommes d'action, ou de penseurs qui faisaient un drame de leur pensée : Nietzsche, Henri de Saint-Simon, Pascal. C'est déjà fait, d'ailleurs.

Mais écrire la vie d'un homme qui n'a point *vécu* plus activement que les autres, et qui a parlé de soi mieux que personne ne pourra le faire, d'un homme que nous ne connaissons que par ses confidences, c'est une entreprise téméraire, sinon ridicule.

J'aurais voulu écrire une *Vie de Montaigne* qui ne fût pas un commentaire des *Essais,* mais qui montrât comment les *Essais,* dans la vie de Michel Eyquem de Montaigne, entre 1572 et 1592, étaient possibles et même nécessaires. Mais rien ne vous guérit d'une pareille ambition comme de compulser quelques éditions savantes ou les *sources* d'un texte. La naïveté de ce déterminisme alors saute aux yeux : pour retrouver le mouvement de la pensée d'un homme, il faut lui être supérieur sur tous les points, le *contenir* dans toute son étendue. Ce projet fait assez rire quand il s'agit de Montaigne. J'ai donc présenté tant bien que mal une suite de circonstances, des études, une famille, un ami, quelques expériences ; j'ai souhaité de présenter d'une vie publique et privée quelques éléments qui puissent compléter le livre sans s'y référer sans cesse. Mais j'ai limité autant que j'ai pu les emprunts aux *Essais* et les commentaires sur les *Essais,* jusqu'à ne pas leur donner leur vraie place dans la vie de Montaigne. — Mais quoi, le livre est là, et Montaigne est dans son livre, c'est là qu'il faut aller, si l'on veut s'instruire ; le récit de sa vie ne devrait servir qu'à l'amusement.

C'était aussi une entreprise ardue pour un biographe d'âge tendre que d'imaginer une vie qui ne nous intéresse guère qu'à partir de la maturité. Sans doute, les romanciers s'y hasardent dès leur jeune âge : mais il importe peu que s'en aille à l'aventure une vie imaginaire qui peut être médiocre. Pour une vie qui laisse des témoignages si précis de son originalité et de sa vigueur, mais nullement disposés selon le cours du temps, il est bien risqué de la suivre à la trace, de vouloir en imaginer l'âge mûr autrement que par l'agrandissement de ses souvenirs, et de créer de toutes pièces un autre homme que soi, un homme de génie, un homme qui a vécu davantage. Même si la *Vie de Montaigne* ne doit servir qu'à l'amusement, ce sera une fois de plus une étrange entreprise que d'amuser les honnêtes gens.

L'histoire et les documents originaux fournissaient peu : on a sans doute pu en écrire de gros volumes, mais avec tous les documents, qui se détruisent ou se grignotent les uns les autres, avec toutes les hypothèses qu'il est si amusant, au fond d'une bibliothèque, de construire sur deux lignes, de soutenir d'une vraisemblance et de détruire d'une date rectifiée. Les érudits s'amusent beaucoup ; il arrive qu'ils n'amusent qu'eux-mêmes. Il n'y a point d'esprits plus personnels : c'est leur propre histoire qu'il leur plaît surtout de raconter ; l'histoire de leurs recherches, de leurs doutes et de leurs guerres fratricides. Qui veut tirer de tout cela le récit tout nu trouve trente pages ; qui voudrait n'en tirer que les faits restés certains n'en trouverait pas la moitié.

On n'a pas voulu faire ici œuvre scientifique. On a inventé des mots, des formules, des conversations, mais aucun texte ni aucun fait important. Ceux des historiens anciens qui n'inventaient pas tout voulaient reproduire scrupuleusement les faits et leur enchaînement. Ils se réservaient, pour exposer leurs idées et s'exercer le calame, les tableaux d'opinion et les discours.

C'est un peu cette méthode qu'on aurait voulu suivre ici ; elle eût été atroce, si l'on s'était laissé aller à faire des pastiches : quelques lettres supplémentaires dans chaque mot, quelques verbes et tournures dont on se fait un bon petit lexique : il est plus facile de pasticher Montaigne que Voltaire. Mais ce travail est peu appétissant. Le tour de force encore de parler une langue qui serait à la fois celle de Montaigne et la nôtre serait plus séduisant, mais la difficulté y est énorme. Jean Schlumberger a pu tenir une gageure analogue d'un bout à l'autre du *Lion devenu vieux* ; mais il est peut-être seul en France à la pouvoir tenir.

Outre les *Essais*, le *Journal de voyage en Italie*, les *Éphémérides*, les *Lettres* de Montaigne et les œuvres de La Boétie, les documents de Payen sont accessibles à tous. J'ai emprunté le reste aux érudits. Je dois beaucoup à MM. Bonnefon, Villey et Strowski. Le docteur Armaingaud a pris, parmi les disciples de Montaigne, une place piquante et paradoxale. On sait que Montaigne serait, d'après lui, le falsificateur du *Contr'un* et un allié des dissidents protestants. Cela fausse l'originalité de l'attitude politique de Montaigne, qui fut toujours de juger librement en obéissant fidèlement. Son zèle l'a mieux servi pour analyser et apprécier la mairie de Bordeaux.

Quant aux critiques, il semblerait que jusqu'à présent ils n'aient fait que résumer et abréger les *Essais*. Michel les avait pourtant prévenus : « Tout abrégé d'un bon livre est un sot abrégé. » L'étude de la morale de Montaigne a seule avancé durant ces dernières années. Décrire l'esprit humain selon Montaigne est une tâche immense, et à laquelle on n'a guère touché. Ce n'est point ici le lieu d'essayer, ni l'occasion. Par contre, l'hygiène selon Montaigne, et Montaigne, considéré comme instrument d'hygiène, cette étude vient d'être faite par le Dr Armaingaud. On s'en voudrait de ne point citer ces lignes, toutes souriantes d'espérance et de bonhomie :

« Par la teinte bienfaisante que répandent les pensées et la bonne humeur de Montaigne sur les choses de la vie, les *Essais* et l'étude attentive de ses actes peuvent faire vivre les lecteurs assidus et avertis quinze ou vingt ans de plus, peut-être, qu'ils n'auraient vécu sans lui... »

« On reconnaîtra que les lecteurs chez lesquels Montaigne réussit à établir cet esprit de mesure, et à le faire appliquer... sont en fait des gens heureux. Ils sont heureux non seulement parce qu'ils réussiront certainement mieux que les autres hommes dans presque toutes les circonstances de la vie, et qu'une belle carrière, ou tout au moins une carrière normale, leur est assurée, mais aussi parce qu'ils éviteront un grand nombre de maladies. Ils les éviteront, d'abord par l'effet même de leur bonheur et par la satisfaction intérieure d'avoir bien réglé et orienté leur vie, par le sentiment de la maîtrise de soi-même, et enfin par le sentiment d'harmonie intérieure, d'équilibre, qu'ils éprouvent, par le sommeil facile, calme et réparateur, le jeu normal des fonctions de nutrition, le bon fonctionnement du cœur, moteur principal et régulateur de la vie des organes. »

Allez donc au texte même, et que ce livre ne fasse qu'y mener. Bon courage et adieu.

ENFANCE DE MONTAIGNE

Pierre Eyquem, père de Michel de Montaigne, fut le premier noble de sa famille, composée jusqu'alors, de commerçants bordelais. À l'âge de vingt-quatre ans, il avait été reconnu noble par son suzerain l'archevêque de Bordeaux, puis il était parti pour la dernière guerre d'Italie afin d'affermir, dans le métier des armes, les droits d'une noblesse un peu jeune. Quand il revint de guerre, à l'âge de trente-trois ans, il rapportait un journal détaillé de ses voyages. Déjà riche, il prit pour femme une Portugaise d'origine juive, Antoinette de Louppes, qui lui apporta une fort riche dot, puis il s'installa dans sa seigneurie de Montaigne qu'il embellit jusqu'au niveau de sa fortune accrue, et selon les goûts qu'il avait rapportés d'Italie.

Pierre Eyquem avait su le latin jusqu'à composer quelques distiques d'écolier ; mais il l'avait beaucoup oublié à la guerre ; il y avait sans doute aussi pris l'habitude, suspecte à cette époque, de juger par vue directe les choses et les hommes. Ses trois frères cadets, avocats et hommes de loi, en savaient sans doute plus que lui. Le sentiment de cette infériorité, joint peut-être au goût italien de préférer chez les savants la personne à son œuvre, et la conversation à l'étude, portait Montaigne le père à fréquenter et à inviter chez lui, le plus qu'il pouvait, les savants et les humanistes. Pour les accueillir, peu de préjugés l'arrêtaient ; à certaines libertés d'esprit rapportées de ses aventures, ou dues à sa naissance demi-roturière, se joignaient d'autres considérations de famille. Certains de ses frères, d'autres parents encore, étaient partisans de la religion réformée ; sa propre femme était d'origine juive. Il était donc plus facile au château de Montaigne qu'ailleurs de juger les hommes uniquement sur leur propre valeur.

Pierre Eyquem de Montaigne avait été nommé en 1530 premier jurat et prévôt de Bordeaux ; il ne devait pas cesser, jusqu'à sa mort, de figurer parmi les notables et les magistrats de la ville.

Michel naquit en 1533, au château de son père, le dernier jour de février. Son père pensa, dès sa naissance, à faire de lui un grand humaniste. Dans bien des maisons nobles et des collèges, on apprenait aux enfants la langue latine directement, bien avant la leur ; mais ces premiers éléments, confiés le plus souvent à des cuistres sans valeur, n'étaient qu'un latin barbare, langue vivante évidemment, et langue internationale, mais continuellement maniée et déformée par les exigences d'une civilisation nouvelle. Le père de Michel était assez riche, assez soigneux de son fils, assez connu parmi les hommes doctes, pour parer à ces inconvénients. L'enfant était encore en nourrice, lorsqu'arrivèrent au château de Montaigne trois

Allemands, dont l'un des meilleurs latinistes de l'époque. La nourrice dut se taire ; les premiers mots que Michel entendit, les premiers par lesquels il demanda la bouillie ou le vase, furent du plus pur latin d'Érasme : non seulement un latin où la syntaxe, où le vocabulaire de Cicéron se retrouvaient à l'état pur, mais où l'on affectait plus de latinismes, plus de tours usuels et illogiques que jamais Romain authentique n'en avait réuni en une phrase. Pendant ce temps le vieux militaire rapprenait avec les trois Allemands son latin d'autrefois ; sa femme s'y mettait ; et la nourrice, et tout ce qui devait converser avec le petit Michel. L'existence même de sa véritable langue maternelle, il ne devait l'apprendre qu'au collège.

En 1536, son père avait été élu adjoint au maire de Bordeaux. À ce titre, il s'était mis en rapport avec le principal du collège de Guyenne. Ce dernier, André de Gouvea, était d'origine portugaise et son maintien en France, dans ces fonctions, aurait pu présenter quelques difficultés. Pierre de Montaigne les aplanit toutes et obtint pour de Gouvea des lettres de naturalisation. Michel à ce moment avait trois ans, et latinisait déjà depuis deux ; quand il en eut six, on l'envoya, avec ses précepteurs, à ce même collège de Guyenne.

Il eut là des maîtres éminents : en particulier Buchanan, un Écossais jeune encore, tout plein à la fois de belle latinité, d'hellénisme, et de souvenir de la Bible. Il avait traduit en vers latins la *Médée* et l'*Alceste* d'Euripide ; il avait composé deux tragédies bibliques, une *Jephté* et un *Saint Jean-Baptiste*. Buchanan s'était intéressé à Montaigne pour la pureté de son latin, peut-être aussi à cause de l'accueil que Pierre Eyquem réservait aux lettrés ; par malheur Montaigne ne put profiter que trois ans de l'enseignement de son maître ; Buchanan, suspect pour ses opinions religieuses, dut fuir de Bordeaux. Il se réfugia d'abord à Montaigne, maison plus hospitalière qu'aucune autre aux latinistes et aux hétérodoxes ; de là Pierre Eyquem, toujours gros notable de Bordeaux, lui donna le moyen de se réfugier en Angleterre.

Cependant Montaigne se trouvait pour la première fois en présence d'enfants de son âge. Ceux-ci, comme le voulait la règle du collège, ne parlaient aussi que le latin. Ils parlaient incorrectement ; c'est à travers leurs néologismes et leurs solécismes que Michel eut la première idée de sa langue maternelle.

Il dut l'apprendre aussi en flânant dans les rues ; pour lui les études étaient faciles ; ses maîtres particuliers lui complétaient l'enseignement du collège sans lui imposer de lourdes disciplines. Déjà bâti à la ressemblance de son père, courtaud, pataud, naturellement joyeux, il était par là-dessus tellement choyé que l'idée même d'efforts et de règle dut longtemps lui être étrangère. Pour lui éviter la moindre peine, son père le faisait éveiller en musique, ses mœurs étaient laissées si libres, que plus tard l'auteur des *Essais* ne put jamais se rappeler à quel âge il avait perdu sa virginité. Ce détail se perdait pour lui dans les plus lointains des souvenirs d'enfance.

ÉTUDES

Sorti du collège à quatorze ans, Montaigne fit deux ans d'études à l'université de Bordeaux ; mais les cours en avaient lieu au collège de Guyenne. C'est là qu'il apprit la dialectique, la logique : un Aristote barbouillé de scolastique. Le même enseignement n'avait point partout la même force : en Angleterre surtout, les disciples de Guillaume d'Occam le prenaient beaucoup plus librement avec Aristote et saint Thomas, et nourrissaient quelque idée d'une méthode expérimentale. En France même, des savants, un évêque normand, Nicole Oresme, traitaient librement des sciences, devançaient Descartes et Copernic. Mais à Bordeaux, Nicolas de Grouchy, jeune encore, car il n'avait pas trente-cinq ans lorsqu'il fut le maître de dialectique de Montaigne, était le plus ardent disciple comme le plus érudit commentateur d'Aristote, dont il venait de publier la *Logique.*

Montaigne fréquentait librement ses maîtres. Il était respecté comme le fils d'un des premiers magistrats de Bordeaux ; sa fortune lui avait permis de prendre quelques-uns des plus distingués comme précepteurs particuliers ; enfin, hors de tout cela, on continuait à l'aimer pour sa belle latinité, qui lui avait permis de parcourir si jeune le cours de ses études et d'obtenir de beaux succès de diction en jouant des tragédies de collège.

« Je n'aime point trop, disait-il quelquefois à ses maîtres, tant de fleurs ou tant de souvenirs dans nos écrivains d'aujourd'hui, dont ils sont tout à fait encombrés. Même Érasme, honneur et modèle de cette nouvelle latinité, il cherche trop à bien dire, pour rien dire qui vaille. Il est plus plein de tours familiers, de petits jurements et de belles parlures latines que ne l'est Cicéron même, celui des Romains qui chercha le mieux à bien parler. Et de lui surtout aux vrais gentilshommes romains, tels que furent César ou Tacite, je ne trouve pas la différence petite. Pour celui qui a longuement appris le latin, voir bien parler latin peut paraître merveille. Mais moi qui ai toujours bu cette langue comme du lait, je n'y trouve rien de rare, et je voudrais tâter à autre chose que des paroles dans tous ces colloques et ces oraisons. »

Grouchy débattait un peu, en souriant : Érasme restait encore le prince des humanistes et l'habile réserve avec laquelle il s'était conduit lors de l'établissement de la Réforme lui avait donné figure, presque sans pensée cependant, d'un grand pouvoir spirituel. Les maîtres n'avaient pas encore bien coutume de laisser critiquer leur enseignement par leurs élèves ; et ces gentilshommes qui ne voulaient point faire profession des lettres, qui n'y cherchaient que l'agrément ou les utilités de la vie, irritaient quelquefois les clercs par un manque de docilité qui semblait les juger eux-mêmes, et les remettre à l'humble place qu'ils se sentaient tenir dans le monde. Grouchy pourtant était flatté, comme dialecticien, de voir un peu mépriser la rhétorique.

« Ce n'est point à la dialectique que vous ferez ce reproche-là, disait-il à l'enfant moqueur, car enfin elle enseigne le bien raisonner, et à connaître les erreurs ou les piperies dans les raisonnements d'autrui ; et vous m'accorderez bien que cette science-là peut être utile à quelque chose au monde.

— Oui, dans le procès, répondait Montaigne, et je vois bien que tout le droit que je dois étudier en est farci. Et c'est chose naturelle à vous que de tant admirer ces subtilités du raisonnement, car enfin, sans vous fâcher, vous êtes Normand, vous et votre ami Guérente, qui aristotélise avec vous. Je vous confesserai pourtant, qu'avant d'étudier la dialectique j'en pensais plus de bien qu'asteure et il faut bien que ce soit sa faute, puisque vous et Guérente vous êtes en ces matières les plus habiles hommes du siècle. Je croyais tout d'abord qu'en l'art de raisonner je trouverais le moyen de bien former mes jugements touchant les choses qui se présentent, et devenir par là moins inepte que je ne suis. Mais j'ai trouvé que les syllogismes de toutes sortes, en baroco et en baralipton, ne peuvent guère construire de bons raisonnements que sur des balourdises bien évidentes, et prouver ce qu'on sait déjà, ou sur les propositions du droit, qui ne doivent point être discutées, et où tout cet appareil sert bien plus à augmenter la chicane qu'à servir le moins du monde la justice.

— Vous voilà bien dédaigneux, disait en riant Grouchy. Mais, si vous dédaignez asteure à la fois la dialectique et le latin, quel profit aurez-vous trouvé en vos études, et pourquoi ne les quittez-vous pas dès maintenant, pour le maintien de votre fortune ou pour le service du roi ?

— J'aurai du moins vu, lui dit Montaigne, ce que savent les habiles gens du monde, tels que Buchanan, pour les lettres, Guérente ou vous-même pour la dialectique. Et de ne pas mettre trop haut ce qu'on m'a enseigné, cela pourra me servir à ne point me désoler, comme fait mon père, d'ignorer tant de choses et d'être si inférieur aux savants. Mais j'ai quelquefois trouvé dans les lettres ou la philosophie, ce que mes maîtres ne m'enseignaient point. »

Disait-il cela ? Supposons qu'il le pensait presque.

MONTAIGNE À VINGT ANS

Quand Michel, achevée sa dernière année de droit, revint au château de Montaigne, il n'avait encore que vingt ans ; court de taille, mais trapu, sa barbe châtaine déjà bien fournie, les mains gourdes et velues, mais la figure riante et pleine d'aisance, son père retrouva là un jeune gentil-homme plus instruit qu'aucun autre de son âge, mais plus dégourdi aussi. La gaillardise de ses humeurs, une jovialité galante et un robuste tempérament ne s'atténuaient nullement chez lui de scrupules chrétiens. Mais sa douceur de manières, sa courtoisie, sa crainte de faire pleurer, le retenaient de quelques aventures, le fournissaient, envers les dames même qu'il n'aimait plus, d'obligeants procédés, et masquaient son indifférence aux passions et la sérénité facile de son âme. Il aimait assez rarement et assez peu, mais dans ses nombreuses aventures, peu de femmes eurent à se plaindre de lui.

Une cependant se plaignait, après s'être donnée, de ce qu'il ne montrait point de reconnaissance.

« Hé, Madame, lui dit Michel, il m'avait chaude-

33

ment semblé que vous preniez à nos amours et à nos ébats autant de plaisirs que moi-même, et que ce pouvait être pour les dits ébats un suffisant loyer qu'une joie mutuelle. Si j'avais su qu'il vous répugnât tellement d'être à moi, je ne vous aurais point demandé telle chose qui vous fît horreur, et serais demeuré votre humble serviteur, sans vouloir vous forcer de m'accepter pour galant.

— Hélas, disait la dame, fallait-il venir jusqu'ici pour m'apercevoir que vous ne m'aimiez point ! Était-ce là ce qu'annonçaient de si courtoises paroles ?

— Madame, disait Michel, j'ai promis de vous aimer honnêtement et naturellement, et gaillardement aussi, si Dieu nous aide. Mais de flamme comme celle d'Amadis ou de Pétrarque, je ne vous en ai point promise, et je laisse ces beaux sentiments sur le papier, qui sait tout souffrir. Que si vous avez espéré davantage, c'est que vous jugiez de mes engagements selon les promesses d'autrui. De quoi je suis fort innocent, et cependant vous prie de m'excuser, et vous prie de vouloir bien, après ces longues oraisons, me pardonner et m'accoler de bonne grâce, en signe d'amitié. Si je vous ai promis secret et discrétion, c'est chose à quoi je ne saurais faillir. Ne vous suffit-il pas ? »

Mais quand il la vit pleurer, il s'accommoda de mentir un peu, et n'en alla point trouver d'autre qu'il ne laissât celle-là consolée. Les joies charnelles, qu'il avait connues dès sa tendre enfance, et qu'il n'avait depuis cessé de connaître, lui semblaient aussi naturelles que le manger et le boire, et ne le troublaient jamais beaucoup. Quelquefois, quand il reprenait par délassement ses poètes latins, les cuisants chagrins de Catulle, les soupirs de Tibulle, les gémissements de Properce, il hésitait entre une admiration écolière pour ces sentiments vigoureux et déréglés, et la tentation de les juger : ou puérils, ou trop rhétoriques. Pétrarque aussi lui semblait plein d'esprit et de beauté, mais il ne se fût point avisé d'éprouver les sentiments que Pétrarque dépeint. Il le lisait avec plaisir, en citait quelquefois des vers, lui accordait quelques grimaces. Il en agissait avec les peintres des passions vives comme à l'égard de la religion catholique, où il avait été nourri : il ne s'en troublait pas beaucoup et ne pratiquait guère, mais il ne blasphémait point, évitait tout scandale et se conformait bonnement aux usages.

« Il est bien à désirer, disait-il à l'un de ses compagnons, que soient un jour retrouvées les maximes et les œuvres des anciens cyniques, dont nous n'avons gardé que quelques lambeaux et lopins. Car dans les œuvres de Cicéron, d'Aristote et de Platon même, je trouve bien de belles maximes, mais bien peu d'applicables à l'ordinaire cours de la vie et aux âmes telles que la mienne ; je suis passable cavalier de ma propre nature mais je veux chercher non pas à sauter trop haut, mais à y prendre une solide assise et à garder le cul bien en selle. Je crois que la doctrine de tous les philosophes anciens nous leurre sur la vraie sagesse, à moins que peut-être des âmes grandes et magnifiques ne se soient trouvées assez nombreuses pour profiter à de telles maximes.

— Le vrai fruit de nos études, répondait son ami, doux clerc et moutonnier, qui ajustait pieusement les maximes des stoïques aux règles des

Évangiles, c'est de nous enseigner les sentences et les actes des héros, pour y conformer les nôtres, selon du moins les forces de notre âme et de notre corps charnel.

— Il faut choisir, répondait Michel. Je crois que nos maîtres et nos précepteurs, voire même Tite-Live ou Plutarque qui, eux aussi, étaient précepteurs, nous présentent les héros qui leur plaisent le mieux, ou les vrais héros tels qu'ils leur plairaient le mieux, et tout assaisonnés de vertus de collège. Ils ne font pas assez de place aux mœurs de ce grand César, qui fut trop paillard à leur goût, et sans doute aussi trop gentilhomme. Moi qu'on a nourri dans le langage latin, il m'arrive de trouver que César écrit mieux ce langage qui m'est naturel, que Cicéron même. J'en pourrais bien asteure arriver à trouver qu'il a aussi plus pertinemment vécu. Et dans ceux que Socrate a aimés et enseignés, je voudrais moins connaître Xénophon ou Platon que ce gentilhomme Alcibiade, tant décrié de nos pédants, parce qu'il est justement l'homme que tous leurs efforts et maximes ne sauraient atteindre. »

Ce fut vers vingt ans encore, et séjournant au château de son père, qu'il fit ses plus vives délices du poème de Lucrèce. Il n'y cherchait rien qui pût combattre en lui la religion chrétienne, dont il n'était ni zélé ni gêné ; mais les raisonnements et les conjectures de Lucrèce n'avaient rien qui rappelât ou combattît le sourcilleux appareil de la théologie. Il en estimait belles et vraisemblables les opinions physiques et la morale, et lisant le livre quatrième, il pensait que celui-là seulement avait su comme il faut parler d'amour.

Cependant son père voulait lui choisir une carrière, et Michel lui-même n'était pas fort ami de la retraite. Sa vive curiosité des choses et des pays étrangers aurait pu le guider vers la carrière des armes, maïs celle-ci ne présentait plus aux jeunes gens les vives espérances dont elle s'ornait du temps de son père, aux beaux moments de la guerre d'Italie. Pierre de Montaigne avait écrit par le menu le journal de ses voyages ; son fils l'avait curieusement lu, mais sentait que la carrière des armes n'en était plus à offrir des expéditions si plaisantes. Son inclination ne l'y poussait pas non plus ; il prisait la vaillance ni plus ni moins que les autres vertus, il se plaisait mieux à pied qu'à cheval, et en pourpoint que sous l'armure. Sa taille courte, sa gaucherie, et quelque indolence corporelle lui donnaient à penser, sans trop de regret, qu'il n'était point destiné aux prouesses.

Il sentait par ailleurs une vive curiosité des hommes, qui le poussait vers les magistratures ou plutôt vers la cour, et qui faisait le plus clair de son ambition ; ce goût du réel et de l'histoire vivante était la réaction d'un esprit vigoureux et bien doué contre la sécheresse de ses longues études ; lui qu'on avait tant nourri de latin n'attendait naturellement plus de vérités profitables qu'en français, en gascon, en espagnol ou en arabesque. Par ailleurs, son père devenait de plus en plus populaire dans la ville de Bordeaux. Celle-ci, après une sédition durement réprimée, avait perdu à peu près tous ses privilèges et franchises, et cherchait, pour intercéder auprès du roi, un gentilhomme bien en cour, ami de tous les partis, qui fût assez proche par nature et par intérêts de leur bourgeoisie, tout en justifiant près du prince de longs et loyaux services. Tel était Pierre de Montaigne, bon négociateur, au surplus, fidèle et incorruptible pour lui-même, mais qui savait se servir à propos, dans une entreprise délicate, des faiblesses et des appétits de ceux à qui il avait affaire. Il fit couler l'or et le vin ; Bordeaux recouvra ses franchises.

Cette popularité de son père, la place qu'il pourrait lui-même tenir dans la ville de Bordeaux, flattaient chez lui un sens civique qu'il devait à ses études et à ses lectures romaines. Chez d'autres, ces souvenirs classiques pouvaient combattre sourdement le respect de la monarchie ; Michel s'en tenait à l'exemple de la ville de Bordeaux, et ne rapportait ses souvenirs de la République romaine qu'à l'administration municipale. Il trouva bon, mieux adapté à ses récentes études, mieux en accord aussi avec les desseins de son père, de devenir magistrat. Son père, sur ces entrefaites, fut nommé conseiller d'une Cour des aides que le roi, suivant les désirs des Périgourdins et reprenant un projet longtemps différé, venait de fonder à Périgueux. Quelques jours plus tard, il se trouvait nommé, comme il s'y attendait, maire de Bordeaux. Il quitta Périgueux, où Michel, âgé de vingt et un ans, lui succéda dans sa charge.

CONSEILLER AUX AIDES

En janvier 1555, Michel alla remplacer son père à Périgueux, où commençait à fonctionner la Cour des aides. Il lui avait fallu, pour siéger, une dispense d'âge de neuf ans, qu'on lui avait octroyée sans peine. Il tourna d'abord vers son métier sa curiosité et son ambition. Les matières d'impôts et de finances le retinrent plusieurs mois, puis il s'en fatigua.

« Sans doute, se disait-il, il ne faudrait point déroger de la haute et droiturière réputation de mon père, qu'on me rapporte de partout travailler sans cesse pour les Bordelais. Mais ces présentes affaires ne semblent requérir rien plus que l'attention et le zèle d'un bon greffier. Dans les contestations et litiges des aides, tout ce qui peut recevoir une exacte justice est promptement reconnu, sans le secours de tant d'études ou le moindre effort d'entendement. Quant aux causes obscures et empêtrées, j'ai toujours vu les plus loyaux et les plus subtils efforts n'y ajouter qu'obscurité et nouveaux doutes ; le plus sage est encore de diviser les objets de litige, ou si l'on ne peut, de remettre le jugement au sort des dés. »

Et l'ambition secrète du jeune Michel, qui s'unissait du reste à sa curiosité pour le monde et les hommes, était de devenir diplomate.

Au reste, les circonstances ne devaient pas le laisser longuement à Périgueux. La Cour des aides ne jugeait pas seulement les débats des plaideurs, elle devait soutenir un procès continuel pour défendre son existence :

En novembre 1556, dans la deuxième année de ses travaux, la cour de Périgueux vit restreindre sa juridiction par celle de Montpellier, qui reprit sous la sienne les provinces de Guyenne, de Rouergue et de Quercy. Les autres conseillers se désolaient déjà et exhalaient bruyamment leur dépit. « Mais laissez, disait Michel de Montaigne, laissez ces affamés de procès dévorer toutes les causes du monde, ne nous plaignons pas de chômer six jours la semaine. S'il est chose au monde à laquelle un galant homme se doive de bon cœur accommoder, ce sont les loisirs. »

Cependant les dangers croissaient pour la Cour des aides de Périgueux. En mai 1557, un nouvel édit du roi Henri II la supprimait entièrement, et nommait les conseillers membres du parlement de Bordeaux.

À la différence de ses collègues, Michel apprit cette nouvelle avec quelque plaisir. Non seulement Bordeaux lui pouvait mieux plaire que Périgueux pour la grandeur de la ville, le nombre et la beauté des dames, mais il était sûr d'y trouver plus d'amis ou de parents de son père, et un champ plus largement ouvert à ses ambitions. Là, pourtant, quelques déceptions l'attendaient.

Les lettres du roi Henri prescrivaient bien que

les anciens conseillers de Périgueux jouiraient à Bordeaux des mêmes prérogatives que leurs collègues bordelais, mais ceux-ci se jugeaient déjà trop nombreux ; leur juridiction n'était pas fort étendue ; les nouveaux conseillers risquaient de prendre leur part des *épices*, et de tous les droits que pouvaient prélever les juges sur les plaideurs. Presque tous nés des mêmes familles, amis, alliés ou parents, ils formaient une coterie serrée, et mieux unie encore par de communes épreuves : supprimé en 1548, pendant la répression de la révolte, le parlement n'avait été rétabli que deux années plus tard. Sept ans après, leur mémoire de ces pénibles événements demeurait toute fraîche, et les disposait à mal accueillir les nouveaux venus que leur envoyait le roi. Les chicanes, les discussions, les mauvais procédés durèrent quatre ans. Les anciens conseillers de Périgueux avaient formé d'abord une chambre des requêtes, où ils ne pouvaient décider qu'en premier ressort et sauf appel aux autres chambres du parlement, qui ne se privaient point de casser leurs arrêts ; mais ils continuaient à connaître des matières des aides, et là ils jugeaient en dernier ressort, ce qui n'était pas du goût des conseillers bordelais. Tout ce temps-là, Michel de Montaigne le passa plus en voyage et à la cour que dans les fonctions de sa charge. Chaque fois qu'il revenait à Bordeaux et reprenait son siège auprès de ses collègues, il demandait sans passion à Poynet, ancien président de la Cour des aides de Périgueux : « Eh bien, où en sont asteure nos querelles ? »

En 1561, lassé de toutes ces chicanes qui remontaient de temps en temps, et plus souvent qu'il n'eût fallu, jusqu'au pouvoir suprême, le roi Charles IX, par un édit qui fut promulgué au mois d'août, supprima la Cour des aides et chambre des requêtes du parlement de Bordeaux, et en incorpora les membres aux autres chambres du parlement. Les conseillers de Bordeaux n'enregistrèrent l'édit qu'en novembre. Michel de Montaigne faisait désormais partie de la première chambre des enquêtes, dont Poynet fut nommé président.

Un conseiller bordelais, Sarran de Lalanne, avait passé son examen et été élu pendant les débats entre conseillers. Il déclara, lorsque les Périgourdins furent élus aux chambres des enquêtes, qu'il avait sur eux droit d'ancienneté, comme s'ils n'avaient été nommés que d'un jour. Poynet et les autres Périgourdins se retirèrent pour en délibérer.

Michel de Montaigne fut choisi pour parler au nom de tous. Son nom, grâce aux fonctions qu'avait remplies son père, était respecté des Bordelais ; on le pensait bien en cour ; enfin, presque toujours absent, et d'humeur douce, il n'avait point perdu l'oreille du parlement de Bordeaux par des querelles personnelles. Un peu intimidé, d'une voix naturellement faible et facile à fatiguer, il renonça à faire une longue et pompeuse oraison. Il rappela les dates, les coutumes, les points de droit, et conclut par cette péroraison familière :

« Outre tous les points de droit et de juridiction, il nous faut faire quelque place, en ces démêlés, à la vraisemblance et bonne foi. Ne nous avez-vous pas tous depuis notre arrivée jusqu'à ce jour, regardés vous-mêmes comme conseillers ?

N'avons-nous pas assisté à la réception du sieur Sarran de Lalanne, et opiné à l'examen dudit sieur conseiller ? La cour n'a pas demandé une admission nouvelle des membres de l'ancienne Cour des aides. Elle ne leur a fait faire d'autre serment que celui qu'ils avaient premièrement fait, lorsqu'ils furent pourvus des dits états de président et de conseiller en icelle ; et aussi nous avons précédé le dit de Lalanne aux processions et actes publics où la cour s'est trouvée en cour, sans que jamais le dit de Lalanne se soit plaint. Et pensez aussi que ce serait chose piteuse si ces cours et ce parlement de Bordeaux, élus pour régir tous les procès, servir d'arbitres et juges entre tous particuliers par l'équité et la justice, étaient connus se quereller, et ne pouvoir même établir entre eux ce droit qu'ils doivent imposer à tous les autres. Messieurs, les édits du roi nous ont désignés pour siéger aux mêmes cours, et ces édits ne peuvent être transgressés. Notre intérêt, des deux parts, et je voudrais que mon âge me permît plus congruement d'admonester ceux du parti aussi où je me trouve rangé, est d'oublier ces querelles pour ne plus penser qu'à nos devoirs de commune et droiturière amitié. »

Les conseillers de Bordeaux eux-mêmes souriaient. Le conseiller de Lalanne, tout en maintenant sa requête, reconnaissait bonnes les raisons de Montaigne. Les Périgourdins eurent un moment d'espoir. Mais les conseillers de Bordeaux, après les avoir priés de sortir eux et leurs amis, rendirent une ordonnance : « Pour certaines grandes considérations, disaient-ils, il est décidé que le conseiller de Lalanne gardera le pas sur les présidents et conseillers des dites requêtes à présent incorporées à la dite cour. » Comme bien on pense, les Périgourdins étaient furieux. L'échec de la cause qu'il avait plaidée, l'injustice qui lui était faite n'échauffaient pas tant Michel, mais piquaient plutôt sa curiosité. Il riait, quand on lut l'ordonnance, de cette injustice si mal justifiée. Cet entêtement de peu de poids, et qui se passait si clairement de raison, ne le choquait pas plus que la ruade d'un âne ou que l'aigreur de la bise. Non pas qu'il se raisonnât ou qu'il fît le philosophe, mais telle était sa nature. Le président Poynet protesta près du roi, mais Montaigne oublia le grief. Son dégoût pour les chicanes ne pouvait plus guère s'accroître ; son rang et sa fortune le disposaient, à l'égard des hommes, à plus d'indulgence que de hauteur. Et c'était parmi ces Bordelais eux-mêmes qu'il commençait dès lors à découvrir son ami.

PREMIÈRES VUES DU MONDE

Dès qu'il avait compris que la seule charge de conseiller ne pouvait lui suffire, Michel avait souhaité connaître des gens de cour, et peut-être devenir ambassadeur de Sa Majesté. Il avait donc obtenu de son père les noms de quelques anciens compagnons d'armes ou possibles protecteurs, et une apparence de mission pour les aller trouver à Paris. C'est à vingt-cinq ans environ qu'il fit pour la première fois le voyage de la capitale.

À sa première visite, la tête plutôt pleine de souvenirs classiques, d'Athènes ou de Rome, ou de la renommée des villes d'Italie, il n'était piqué que de curiosité et ne s'attendait point à l'admiration. D'ailleurs il ne pensa jamais à l'architecture que selon les commodités. Mais ce qu'il trouva et qui le surprit, ce fut, dans la satisfaction de ses curiosités diverses, une certaine harmonie et proportion. Les grandes villes de province avaient dès lors fini d'être capitales. Par les courtisans, les visiteurs, les marchands, les impôts, tout l'argent de la France passait par Paris ; la cour, une bourgeoisie florissante en commerces et en métiers, les soldats, les étrangers, parurent à Montaigne un monde plus riche pour l'esprit que toutes ses études ; au plaisir qu'il eut à se mêler à cette ville, il sentit la France et se sentit Français. Ce sentiment, à l'époque, gardait encore de la fraîcheur.

Le roi François II conduisit cette année-là sa sœur Claude de France au duc Charles III de Lorraine dont elle devenait la femme. Michel de Montaigne suivit la cour, qui, nombreuse et dépensière, traversait la Champagne et étalait au bout de petites étapes des campements magnifiques. Ce train ne gênait pas Michel : il était riche et dépensier. Mais il lui fallait toute sa bonne humeur naturelle pour qu'il se consolât d'être devenu un petit personnage, et d'avoir sans doute auprès des dames moins de succès qu'à Paris. Surtout il n'obtenait guère souvent l'oreille du prince, et trouvait moins de facilité qu'il n'eût cru à entrer à son service. Il suivit la cour jusqu'à Bar-le-Duc, puis, après une longue absence, qui du moins l'écartait des querelles intérieures du Parlement, il revint à Bordeaux.

En 1562, il entreprit un autre voyage : à Paris régnait le roi Charles IX encore enfant ; les guerres civiles reprenaient alors toute leur violence ; le débonnaire Michel suivait le roi et les catholiques pour des raisons où la religion n'avait rien à voir, et où le zèle n'entrait guère. On apprit au mois d'avril que les réformés, à la suite d'une émeute, s'étaient emparés de Rouen, et que Montgomery s'y fortifiait. Michel suivit l'armée royale, et assista d'assez loin au siège, qui fut long et meurtrier. Antoine de Bourbon, roi de Navarre, qui dirigeait les assaillants catholiques, y fut tué.

Le duc de Guise faillit être assassiné ; il pardonna au fanatique désarmé qui lui avouait ses intentions, et sa clémence le rendit populaire, surtout près de ceux qui apportaient dans ces armées plus de loyalisme que de zèle religieux. Michel n'assistait pas à cette scène de clémence, mais, quand Jacques Amyot la lui raconta, il sentit une des plus vives émotions de sa vie, et se reconnut fait pour vénérer, par-dessus tout, la clémence.

Rouen fut prise et pillée par l'armée royale à la fin d'octobre. Michel s'était tenu à l'écart de ces désordres. Outre qu'il n'était pas homme de guerre, il se sentait quelque couardise de la souffrance d'autrui, et la compassion l'émouvait, de façon directe et corporelle, presque plus que la douleur même.

L'armée séjourna quelque temps dans la ville vaincue, et la curiosité de Montaigne trouva à s'exercer. La plupart des vaisseaux d'Angleterre ou d'Amérique ne faisaient que toucher en passant à Honfleur ou au Havre-de-Grâce, et remontaient jusqu'à Rouen avec les marées. Montaigne aperçut là ce que Bordeaux ni Paris ne lui avaient montré encore : trois indigènes du Brésil, trois caciques indiens, venus d'Amérique de leur plein gré, pour visiter l'ancien monde.

Les trois indigènes avaient été reçus et interrogés par la cour, à l'aide d'un marin revenu des Indes occidentales qui leur servait de truchement. Toute la cour riait de l'impertinente naïveté de leurs réponses. Mais Michel apprit ces réponses, et fut étonné : ils avaient demandé pourquoi tant d'hommes d'armés, vigoureux, dans la force de l'âge, pouvaient accepter d'être commandés, et même à la guerre, par un enfant chétif ; pourquoi aussi, en notre monde, certaines gens étaient bien nourris, bien pourvus de tous les biens, alors que d'autres se tenaient affamés à leurs portes ; si cette inégalité était justifiée par quelque mérite invisible à leurs yeux, et pourquoi les pauvres ne se révoltaient point.

« Voilà, pensait Michel, des questions qui m'émeuvent plus que les doutes dialectiques de mon bon maître Nicolas de Grouchy. Peut-être aurais-je l'imagination facile à étonner, et me laissé-je, comme ces Cannibales eux-mêmes, émerveiller facilement des plus extérieures apparences. Cependant, quand je cherche que leur répondre, je ne le trouve point, et je crois que mes maîtres s'y empêtreraient tout comme moi. »

Il alla voir ces sauvages en particulier, pour se permettre des questions plus indiscrètes. Mais l'interprète, soit qu'il fût sot, ainsi que Montaigne le pensa, soit qu'il ne trouvât point dans la langue des Américains le moyen de traduire des questions trop subtiles, ne le satisfit point. Au lieu de leurs principes et plus intimes pensées, il n'en put tirer de bien clair que quelques réponses sur leurs mœurs. Il s'adressait au plus grand et plus fort d'entre eux, qui était aussi leur cacique. Il s'enquit d'abord de la puissance de ce chef ; celui-ci limita d'un signe une certaine étendue de terrain, et fit entendre qu'il commandait à autant d'hommes qu'il en pouvait tenir là. Michel calcula que ce devait être quatre ou cinq mille hommes, et se rappela, non sans surprise, que c'est ainsi que Xerxès comptait ses troupes : ces sauvages devaient-ils lui présenter quelques traits et mœurs de l'Antiquité ? Il sut ensuite que le privilège du chef était de marcher le premier à la guerre, et, en temps de paix, d'abattre les haies pour passer. Michel chercha quelles pouvaient être les autres fonctions d'un prince, dont ces sauvages pouvaient être privés à leur désavantage, et ne les trouva point. Il en fut plus amusé que marri.

L'interprète cependant lui rapportait ce qu'il connaissait, par vue directe ou ouï-dire, des mœurs de ces Indiens. Il apprit qu'ils allaient à la guerre sans aucune arme défensive, et luttaient jusqu'à l'extermination sans manœuvres, sans prisonniers et sans fuite. Il demanda à l'interprète pourquoi les vaincus ne se sauvaient pas, et le matelot lui répondit, avec un haussement d'épaules, qu'ils n'y pensaient même point.

« Eh quoi, se dit-il, voilà-t-il pas un peuple où la vertu de Léonidas et de ses compagnons n'est plus digne d'être admirée, où cette forcenée vertu devient chose si générale et commune, que seule l'action contraire pouvait les étonner ? Dois-je les admirer tous comme autant de héros, ou concevoir que cette vertu est partout naturelle, et que seule l'idée leur manque de se préserver, et de quitter l'action présente, où ils se trouvent engagés, pour garder la longueur future de leur vie, à laquelle ils ne pensent jamais ? L'extrême courage se trouve-t-il dans l'insouciance ou l'hébétement de l'esprit, ou peut-il se trouver un courage plus vénérable et plus humain ? »

Voyageurs et missionnaires commençaient à publier les récits de leurs voyages et des descriptions des mœurs des sauvages. Michel de Montaigne s'affrianda de ces relations, il cherchait à connaître les auteurs eux-mêmes, ou du moins quelques soldats et matelots qui fussent revenus des mêmes lieux. Ces sauvages prenaient dans son esprit une place presque égale à celle de Rome.

ÉTIENNE

Avant même que la Cour des aides de Périgueux ne se fût définitivement fondue dans le parlement de Bordeaux, Michel de Montaigne avait entendu parler d'Étienne de La Boétie comme du plus distingué et du plus érudit conseiller de ce parlement. Sa réputation d'intègre et laborieux magistrat imposait le respect : cela n'aurait pas suffi à Michel. Il tournait mieux le vers latin que tous les professeurs et les érudits de profession : cela était déjà mieux, mais n'aurait point encore suffi. Mais surtout Montaigne avait pu lire une copie de la *Servitude volontaire*.

Auprès des ignorants, des indiscrets, des personnes malveillantes, ce traité pouvait passer pour une œuvre de pure rhétorique, entreprise selon les doctrines du Cicéron des *Philippiques* ou selon les *Satires* de Juvénal, et dans leur style. Et beaucoup d'écoliers, en effet, louaient démesurément chaque année Cassius ou Brutus, sans que personne songeât à rien rapporter de ces creuses harangues aux affaires du temps. Pour les personnes mieux averties, le choix des exemples et la portée vraiment générale de certains aphorismes menaient plus loin que l'exercice d'école. Étienne de La Boétie avouait alors que ce traité n'avait pas été, comme il le déclarait, écrit à seize ou dix-huit ans ; sans pousser à aucune révolte, à aucune entreprise contre l'autorité monarchique, ce magistrat modèle avouait néanmoins qu'il aurait préféré naître à Venise qu'en son pays de Sarlat. Montaigne avait eu quelque écho de ces confidences ; avant même qu'il ne connût La Boétie, on lui en parlait volontiers, car on le savait curieux de toutes opinions neuves et hardies ; on lui disait même qu'ils étaient nés pour s'entendre. Mais Michel craignait chez ce magistrat quelque peu de raideur et de sévérité stoïque, dont sa nature indolente et moqueuse pourrait mal s'accommoder. La Boétie avait lui aussi entendu parler de Montaigne, de son érudition facile et avenante, de la verve de ses conversations privées. Mais il se méfiait de ce jeune magistrat mondain et peu soucieux de sa charge. Ils se sentaient attirés l'un vers l'autre et semblaient presque s'éviter.

Un jour, cependant, ils se trouvèrent l'un près de l'autre dans une grande fête, et découvrirent aussitôt qu'ils se connaissaient si bien par ouï-dire, qu'ils se trouvaient comme amis avant de s'être parlé. La Boétie, qui craignait de paraître pédant aux yeux de ce railleur, parla sans trop de gravité des questions de leur fonction. Et Michel lui raconta :

« Vous souvient-il de cette longue et emphatique suite de paragraphes dont maître Pierre Grosclaude nous a presque assommés l'autre jour ? Après avoir été longuement consterné de sa lourdeur et de son ineptie, j'étais allé à la garde-robe pour me soulager quelque peu. Mais près de la porte je trouvai notre bonhomme qui en sortait, et qui marmonnait entre ses dents : "Non à moi, Seigneur, non à moi, mais à Votre Nom seul reportez-en toute la gloire." » Étienne osa parler de ses chères études, et sur ce sujet Michel passa ses espérances. Il ne montrait qu'à bonne occasion son savoir, solide et pur ; surtout l'allure de sa pensée, qui semblait travailler sans peine et tout dominer sans effort comme un vol d'hirondelle, émerveilla La Boétie.

Ils se revirent et presque aussitôt ne se quittèrent plus. Ils ne parlaient guère de droit, ce à quoi La Boétie seul eût pu être enclin ; ni l'un ni l'autre ne parlait de religion, de controverse théologique ou scolastique. En dépit de leurs humeurs différentes, une grande union leur venait de ce que tous deux regardaient l'Antiquité comme chose vivante, et tendaient à appuyer sur la sagesse des Anciens non seulement leurs maximes, mais les actes mêmes de leur vie.

Lorsque Étienne parlait de la politique et des affaires du temps, le prudent et insouciant Michel sentait naître en lui une passion nouvelle, et qui, dans son âme formée surtout à penser, tenait la place de l'héroïsme. Ils reprenaient parfois le *Discours de la servitude volontaire*, et le relisaient avec une sorte d'ébriété d'esprit. Ils n'en souhaitaient pas d'application immédiate : La Boétie avait au fond du cœur trop de loyalisme, et Montaigne trop de sens des possibles ; d'ailleurs, qui aurait pu les comprendre et les suivre ? Mais ils aimaient au moins à se trouver des âmes peu faites pour la servitude et les basses querelles de leur temps, disposées à une liberté dont les républiques italiennes n'offraient pas elles-mêmes de suffisants exemples, et dont ils ne trouvaient que dans Rome ou dans Sparte de convenables images. Ils n'avaient point tous deux la même conception de ce livre : Étienne préférait les périodes balancées comme celles de Cicéron, et qu'il alourdissait quelque peu d'exemples antiques :

« Aux batailles tant renommées de Miltiade, de Léonidas, de Thémistocle, qui ont été données il y a deux mille ans, et qui sont encore aujourd'hui aussi fraîches en la mémoire des livres et des hommes comme si ç'eût été l'autre hier, qui furent données en Grèce pour le bien des Grecs et pour l'exemple de tout le monde, qu'est-ce qu'on pense qui donna à si petit nombre de gens, comme étaient les Grecs, non le pouvoir, mais le cœur de soutenir la force de tant de navires que la mer même en était chargée, de défaire tant de nations qui étaient en si grand nombre que l'escadron des Grecs n'eût pas fourni, s'il eût fallu, des capitaines aux armées des ennemis, sinon qu'il semble qu'à ces glorieux jours-là ce n'était pas tant la bataille des Grecs contre les Perses, comme la victoire de la liberté sur la domination, de la franchise sur la convoitise ?... Quoi, si pour avoir la liberté il ne faut que la désirer, s'il n'est besoin que d'un simple vouloir, se trouvera-t-il nation au monde qui l'estime encore trop chère, la pouvant gagner d'un seul souhait, et qui plaigne sa volonté à recouvrer le bien qu'elle devrait racheter au prix de son sang, et, lequel perdu, tous les gens d'honneur doivent estimer la vie déplaisante et la mort salutaire ? »

Montaigne goûtait assez au contraire, dans le discours, certaines opinions de raillerie désespérée sur les mœurs du temps, et l'impossibilité de voir renaître jamais une liberté nouvelle : « Mais certes les médecins conseillent bien de ne pas mettre la main aux plaies incurables, et je ne fais pas sagement de vouloir prêcher en ceci le peuple qui a perdu, depuis longtemps, toute connaissance, et duquel, puisqu'il ne sent plus son mal, cela montre assez que sa maladie est mortelle. On ne plaint jamais ce que l'on n'a jamais eu, et le regret ne vient point sinon qu'après le plaisir, et toujours est, avec la connaissance du mal, la souvenance de la joie passée. La nature de l'homme est bien d'être franc et de le vouloir être, mais aussi sa nature est telle que naturellement il tient le pli que son éducation lui donne. À la vérité, c'est le naturel du menu populaire, duquel le nombre est toujours plus grand dans les villes, qu'il est soupçonneux à l'endroit de celui qui l'aime, et simple envers qui le trompe. Ne pense pas qu'il y ait nul oiseau qui se prenne mieux à la pipée, ni poisson aucun qui, pour la friandise du ver, s'accroche plus tôt à l'hameçon que tous les peuples s'allèchent vitement à la servitude pour la moindre plume qu'on leur passe, comme on dit, devant la bouche... Les théâtres, les jeux, les farces, les spectacles, les gladiateurs, les bêtes étranges, les médailles, les tableaux et autres drogueries, c'étaient aux peuples anciens les appâts de la servitude, le prix de leur liberté, les outils de la tyrannie. »

Dans l'ordinaire de sa vie, Étienne pratiquait la

philosophie morale des stoïques, et voulait y gagner Michel. Mais quelque chose adoucissait la sévérité de cette doctrine : il était amoureux.

Étienne aimait avec plus d'ardeur et de violence que Montaigne n'avait encore su faire ; la femme qu'il aimait n'était pas d'un rang à mépriser, et il devait taire son nom au public. Michel, si souvent encouragé, redressé, moralisé pour sa paresse ou sa facilité d'humeur, s'employait à son tour à calmer son ami et à le munir d'une sérénité mieux assurée. Étienne composait des vers français un peu moins bons que ses latins et un peu durs même pour l'époque. À l'encontre de son ami, pétrarquiser était, pour lui, parler une langue toute naturelle à sa passion. Il lisait à Michel, qui dodelinait bonnement la tête, des vers comme ceux-ci :

> Lorsque lasse est de me lasser ma peine,
> Amour, d'un bien mon mal rafraîchissant,
> Flatte au cœur mort ma playe languissant,
> Nourrit mon mal, et lui fait prendre haleine...

Michel trouvait, à coup sûr, que son ami pouvait faire mieux, mais il estimait ces vers assez bons pour les dames. Lorsque Étienne se demandait pourquoi il n'obtenait pas, de son bienveillant mais sincère ami, d'approbations plus vives et plus chaudes, il s'accusait de n'avoir point assez fidèlement imité les maîtres italiens et classiques ; et il s'en accusait en vers. « Mais, mon frère, disait Michel, je n'ai jamais songé à vous le reprocher. — N'importe, répondait Étienne, le sonnet est fait, et je veux que ma dame et vous compreniez que si je parle autrement que tous ces élégiaques, c'est qu'aussi j'aime plus qu'eux :

Toi qui vis mes soupirs, ne me sois rigoureux
Si mes larmes à part toutes miennes je verse
Si mon amour ne suit en ma douleur diverse
Du Florentin transi le regret langoureux,

Ni de Catulle aussi, le folâtre amoureux
Qui le cœur de sa dame en chatouillant lui perce,
Ni le savant amour du mi-grégeois Properce ;
Ils n'aiment pas pour moi, je n'aime pas pour eux.

Qui pourra sur autrui ses douleurs limiter,
Celui pourra d'autrui les plaintes imiter :
Chacun sent son tourment, et sait ce qu'il endure ;

Chacun parla d'amour ainsi qu'il l'entendit.
Je dis ce que mon cœur, ce que mon mal me dit.
Que celui aime peu, qui aime à la mesure !

Mais Étienne ne pouvait demeurer toute sa vie
dans ce bel amour. Et bientôt, ses sonnets chan-
gèrent de destinataire. Il était fiancé.

Michel crut s'apercevoir alors d'un léger flé-
chissement dans la verve et la valeur de son ami ;
il attribua cette décadence à la froideur maritale
de la nouvelle inspiration. Mais Étienne prenait
son mariage bien plus à cœur que Michel ne le
pensait — autrement l'ami en eût peut-être été
jaloux. Âme exaltée, livresque et tendre, il s'ani-
mait à ses nouveaux devoirs en étudiant les *Règles
de mariage* de Plutarque.

Quand Étienne mourut, Michel et lui se
connaissaient depuis sept ans ; depuis quatre ans
environ, ils n'avaient plus qu'une pensée.

Nul coup plus inattendu pour Michel ; lui qui
n'avait pas encore souffert fut étonné par la douleur.

LA MORT D'ÉTIENNE

Voici ce qu'il en écrivit à son père, on n'y saurait rien ajouter :

« ... Pour le représenter ainsi fièrement arrêté en sa brave démarche, pour vous faire voir ce courage invincible dans un corps atterré et assommé par les furieux efforts de la mort et de la douleur, je confesse qu'il y faudrait un beaucoup meilleur style que le mien. Parce qu'encore que durant sa vie, quand il parlait de choses graves et importantes, il en parlait de telle sorte, qu'il était mal aisé de les bien écrire : si à ce coup il semblait que son esprit et sa langue s'efforçaient à l'envi, comme pour lui faire leur dernier service. Car sans doute je ne le vis jamais plein, ni de tant et de si belles imaginations, ni de tant d'éloquence, comme il a été le long de cette maladie. Au reste, Monseigneur, si vous trouvez que j'ai voulu mettre en compte ses propos les plus légers et ordinaires, je l'ai fait à escient. Car étant dits en ce temps-là, et au plus fort d'une si grande besogne, c'est un singulier témoignage d'une âme pleine de repos, de tranquillité et d'assurance.

« Comme je revenais du Palais, le lundi neuvième d'Août 1563, je l'envoyai convier à dîner chez moi : il me manda qu'il me remerciait, qu'il se trouvait un peu mal, et que je lui ferais plaisir si je voulais être une heure avec lui, avant qu'il partît pour aller en Médoc. Je l'allai trouver bientôt après dîner : il était couché vêtu, et montrait déjà je ne sais quel changement en son visage. Il me dit que c'était un flux du ventre avec des tranchées, qu'il aurait pris le jour avant, jouant en pourpoint sous une robe de soie avec Monsieur d'Escars, et que le froid lui avait souvent fait sentir de semblables accidents. Je trouvai bon qu'il continuât l'entreprise qu'il avait déjà faite de s'en aller ; mais qu'il n'allât pour ce soir que jusqu'à Germignan, qui n'est qu'à deux lieues de la ville. Cela faisais-je pour le lieu où il était logé tout avoisiné de maisons infectées de peste, de laquelle il avait quelque appréhension, comme revenant de Périgord et d'Agenois où il avait laissé tout empesté : et puis pour semblable maladie que la sienne je m'étais autrefois très bien trouvé de monter à cheval. Ainsi il partit, et Mademoiselle de La Boétie sa femme, et Monsieur de Bouilhonnas son oncle, avec lui.

« Le lendemain de bien bon matin, voici venir un de ses gens de la part de Mademoiselle de La Boétie, qui me mandait qu'il s'était fort mal trouvé la nuit, d'une forte dysenterie. Elle envoyait quérir un médecin et un apothicaire, et me parlait d'y aller : comme je fis l'après-dînée.

« À mon arrivée, il sembla qu'il fût tout réjoui de me voir : et comme je voulais prendre congé de lui pour m'en revenir, et lui promis de le revoir le lendemain, il me pria, avec plus d'affection et d'instance qu'il n'avait jamais fait autre chose, que je fusse le plus que je pourrais avec lui. Cela me toucha quelque peu. Ce néanmoins, je m'en allais quand Mademoiselle de La Boétie, qui pressentait déjà je ne sais quel malheur, me pria les larmes à l'œil que je ne bougeasse pour ce soir. Ainsi elle m'arrêta, de quoi il se réjouit avec moi. Le lendemain je m'en revins et le jeudi le fus retrouver. Son mal allait empirant : son flux de sang et ses tranchées qui l'affaiblissaient encore plus croissaient d'heure à autre.

« Le vendredi je le laissai encore : et le samedi je le fus revoir déjà fort abattu. Il me dit alors que sa maladie était un peu contagieuse, et outre cela qu'elle était mal plaisante et mélancolique ; qu'il connaissait très bien mon naturel, et me priait de n'être avec lui que par instants, mais le plus souvent que je pourrais. Je ne l'abandonnai plus. Jusqu'au dimanche il ne m'avait tenu nul propos de ce qu'il pensait de son état, et ne parlions que de particularités de sa maladie, et de ce que les anciens médecins en avaient dit. D'affaires publiques bien peu ; car je l'en trouvai tout dégoûté dès le premier jour. Mais le dimanche il eut une grande faiblesse, et quand il fut revenu à soi, il dit qu'il lui avait semblé être en une confusion de toutes choses, et n'avoir rien vu qu'une épaisse nue, et brouillard obscur, dans lequel tout était pêle-mêle et sans ordre. Toutefois, qu'il n'avait eu nul déplaisir à tout cet accident. La mort n'a rien de pire que cela, lui dis-je alors, mon frère : Mais n'a rien de si mauvais, me répondit-il.

« Depuis lors, parce que dès le commencement

de son mal, il n'avait pris nul sommeil, et que malgré tous les remèdes, il allait toujours en empirant : de sorte qu'on y avait déjà employé certains breuvages, desquels on ne se sert qu'aux dernières extrémités, il commença à désespérer entièrement de sa guérison : ce qu'il me communiqua. Ce même jour, parce qu'on le trouva bon, je lui dis qu'il ferait peu de crédit à l'extrême amitié que je lui portais si je ne me souciais que (comme en sa santé on avait vu toutes ses actions pleines de prudence et de bon conseil, autant qu'à homme du monde), il les continuât encore en sa maladie, et que si Dieu voulait qu'il expirât, je regretterais beaucoup que faute d'y aviser il eût laissé ses affaires domestiques en désordre, tant pour le dommage que ses parents en pourraient souffrir, que pour l'intérêt de sa réputation. Ce qu'il prit de moi de très bon visage. Et après s'être résolu des difficultés qui le tenaient en suspens en cela, il me pria d'appeler son oncle et sa femme seuls, pour leur faire entendre ce qu'il avait délibéré quant à son testament. Je lui dis qu'il les étonnerait. Non, non, me dit-il, je les consolerai, et leur donnerai beaucoup meilleure espérance de ma santé que je ne l'ai moi-même. Et puis il me demanda si les faiblesses qu'il avait eues ne nous avaient pas un peu étonnés. Cela n'est rien, lui dis-je, mon frère : ce sont accidents ordinaires à telles maladies. Vraiment non, ce n'est rien, mon frère, me répondit-il, quand bien il en adviendrait ce que vous craindriez le plus. Pour vous ce ne serait que bonheur, lui répliquai-je : mais le dommage serait pour moi qui perdrais la compagnie d'un si grand, si sage, et si certain ami, et tel que je serais assuré de n'en trouver jamais de semblable. — Cela pourrait bien être, mon frère, ajouta-t-il ; et je vous assure que ce qui me fait avoir quelque soin de ma guérison, et n'aller si courant au passage que j'ai déjà franchi à demi, c'est la considération de votre perte, et de ce pauvre homme, et de cette pauvre femme (parlant de son oncle et de sa femme) que j'aime tous deux uniquement, et qui porteront bien impatiemment (j'en suis assuré) la perte qu'ils feront de moi, qui de vrai est bien grande pour vous et pour eux. Je respecte aussi le déplaisir qu'auront beaucoup de gens de bien qui m'ont aimé et estimé pendant ma vie, desquels certes, je le confesse, si cela dépendait de moi, je serais content de ne perdre déjà la conversation. Et si je m'en vais, mon frère, je vous prie, vous qui les connaissez, de leur rendre témoignage de la bonne volonté que je leur ai portée jusqu'à ce terme de ma vie. Et puis, mon frère, par aventure n'étais-je pas né si inutile que je n'eusse moyen de servir la chose publique. Mais, quoi qu'il en soit, je suis prêt à partir quand il plaira à Dieu, étant tout assuré que je jouirai de l'aise que vous me prédites. Et quant à vous, mon ami, je vous connais si sage, que, quelque intérêt que vous y ayez, vous vous conformerez volontiers et patiemment à tout ce qu'il plaira à sa sainte Majesté d'ordonner de moi : et vous supplie de prendre garde que le deuil de ma perte ne pousse ce bon homme et cette bonne femme hors des gonds de la raison. Il me demanda alors comment ils s'y comportaient déjà. Je lui dis qu'"assez bien pour l'importance de la chose". — Oui, (poursuivit-il) à cette heure, qu'ils ont encore un peu d'espérance. Mais si je la leur ai ôtée une fois pour toutes, mon frère, vous aurez bien du mal à les contenir. Suivant cette idée, tant qu'il vécut depuis, il leur cacha toujours l'opinion certaine qu'il avait de sa mort, et me priait bien fort d'en user de même. Quand il les voyait auprès de lui, il contrefaisait la mine plus gaie, et les nourrissait de belles espérances.

« Sur ce point je le laissai pour les aller appeler...

« Puis tournant son propos à moy ; Mon frère, dit-il, que j'aime si chèrement, et que j'avais choisi parmi tant d'hommes, pour renouveler avec vous cette vertueuse et sincère amitié (de laquelle l'usage est, par les vices, depuis si longtemps éloigné d'entre nous, qu'il n'en reste que quelques vieilles traces en la mémoire de l'Antiquité), je vous supplie, pour signal de mon affection envers vous, vouloir être successeur de ma Bibliothèque et de mes livres, que je vous donne : présent bien petit, mais qui part de bon cœur : et qui vous est convenable pour l'affection que vous avez aux lettres. Ce vous fera *Mnêmo-synon tui fodalis.*"

« Et puis parlant à tous trois généralement, loua Dieu, de quoi en une si extrême nécessité, il se trouvait accompagné de toutes les plus chères personnes qu'il eût en ce monde. Et qu'il lui semblait très beau à voir une assemblée de quatre si accordés et si unis d'amitiés, faisant, disait-il, état (tenant pour établi) que nous nous entraimions unanimement les uns pour l'amour des autres ; et nous ayant recommandé les uns aux autres, il poursuivait ainsi :

« "Ayant mis ordre à mes biens, encore me faut-il penser à ma conscience. Je suis chrétien, je suis catholique ; tel j'ai vécu, tel suis-je délibéré de clore ma vie. Qu'on me fasse venir un prêtre, car je ne veux faillir à ce dernier devoir d'un chrétien."

« Sur ce point il finit son propos, lequel il avait continué avec une telle assurance de visage, telle force de parole et de voix, que là où je l'avais trouvé, lorsque j'entrai en sa chambre, faible, traînant lentement les mots, les uns après les autres, et ayant le pouls abattu comme de fièvre lente, et tirant à la mort, le visage pâle et tout meurtri, il semblait lors qu'il vînt, comme par miracle, de reprendre quelque nouvelle vigueur : le teint plus vermeil, et le pouls plus fort, de sorte que je lui fis tâter le mien pour les comparer ensemble. Sur l'heure j'eus le cœur si serré, que je ne sus rien lui répondre. Mais deux ou trois heures après, tant pour lui continuer cette grandeur de courage, que aussi parce que je souhaitais pour la jalousie que j'ai eue toute ma vie de sa gloire et de son honneur, qu'il y eût plus de témoins de tant et si belles preuves de magnanimité, y ayant plus grande compagnie en sa chambre : je lui dis, que j'aurais rougi de honte de quoi le courage m'avait failli à ouïr ce que lui qui était engagé dans ce mal avait eu le courage de me dire. Que jusques lors j'avais pensé que Dieu ne nous donnait guère si grand avantage sur les accidents humains, et croyais mal aisément ce que quelquefois j'en lisais parmi les histoires ; mais qu'en ayant senti une telle preuve, je louais Dieu de quoi ç'avait été en une personne de qui je fusse tant aimé et que j'aimasse si chèrement ; et que cela me servirait d'exemple pour jouer ce même rôle à mon tour.

« Il m'interrompit pour me prier d'en user ainsi

et de montrer par l'effet que les discours que nous avions tenus ensemble pendant notre santé, nous ne les portions pas seulement en la bouche, mais gravés bien avant au cœur et à l'âme, pour les mettre en exécution aux premières occasions qui s'offriraient, ajoutant que c'était la vraie pratique de nos études, et de la philosophie. En me prenant par la main : "Mon frère, mon ami, me dit-il, je t'assure que j'ai fait assez de choses, ce me semble, en ma vie, avec autant de peine et de difficulté que je fais celle-ci. Et quand tout est dit, il y a fort longtemps que j'y étais préparé, et que j'en savais ma leçon toute par cœur. Mais n'est-ce pas assez vécu jusqu'à l'âge auquel je suis ? J'étais prêt à entrer en mon trente troisième an. Dieu m'a fait cette grâce, que tout ce que j'ai passé jusqu'à cette heure de ma vie, a été plein de santé et de bonheur ; vu l'inconstance des choses humaines, cela ne pouvait guère plus durer. Il était déjà temps de se mettre aux affaires et de voir mille choses mal plaisantes, comme l'incommodité de la vieillesse, de laquelle je suis quitte par ce moyen. Et puis il est vraisemblable que j'ai vécu jusqu'à cette heure avec plus de simplicité et moins de malice que je n'eusse par aventure fait, si Dieu m'eût laissé vivre jusqu'à ce que le soin de m'enrichir, et accommoder mes affaires, me fût entré dans la tête. Quant à moi, je suis certain que je vais trouver Dieu, et le séjour des bienheureux."

« Or, parce que je montrais, même au visage, le chagrin que j'avais à l'ouïr : "Comment, mon frère, me dit-il, me voulez-vous faire peur ? Si j'en avais, à qui serait-ce de me l'ôter qu'à vous ?"

« Sur le soir, parce que le notaire survint, qu'on

avait mandé pour recevoir son testament, je le lui fis mettre par écrit et puis je lui fis dire s'il ne voulait pas signer : "Non pas signer, dit-il, je le veux faire moi-même. Mais je voudrais, mon frère, qu'on me donnât un peu de loisir car je me trouve extrêmement travaillé, et si affaibli que je n'en puis quasi plus." Je me mis à changer de propos, mais il se reprit soudain, et me dit qu'il ne manquait pas grand temps à mourir, et me pria de savoir si le notaire avait la main bien légère, car il n'arrêterait guère à dicter. J'appelai le notaire et, sur-le-champ, il dicta si vite son testament qu'on était bien en peine de le suivre. Et ayant achevé il me pria de lui lire ; et parlant à moi : "Voilà, dit-il, le soin d'une belle chose que nos richesses..."

« Le lundi matin il était si mal, qu'il avait quitté toute espérance de vie. De sorte que dès lors qu'il me vit il m'appela tout piteusement et me dit : "Mon frère, n'avez-vous pas de compassion de tant de tourments que je souffre ? Ne voyez-vous pas déjà que tout le secours que vous me faites ne sert que d'allongement à ma peine ?" Bientôt après il s'évanouit, de sorte qu'on le faillit abandonner pour trépassé : enfin on le réveilla à force de vinaigre et de vin. Mais il ne vit de fort longtemps après : et nous entendant crier autour de lui, il nous dit : "Mon Dieu, qui me tourmente tant ? Pourquoi m'ôte-t-on de ce grand et plaisant repos auquel je suis ? Laissez-moi, je vous prie." Et puis m'oyant il me dit : "Et vous aussi, mon frère, vous ne voulez donc pas que je guérisse. Ô quel aise vous me faites perdre !" Enfin s'étant encore plus remis, il demanda un peu de vin... Il avait déjà toutes les extrémités, jusqu'au visage, glacées de froid avec une sueur mortelle qui lui coulait tout le long du corps ; et n'y pouvait-on quasi plus trouver nulle reconnaissance de pouls. Ce matin il se confessa à son prêtre ; mais parce que le prêtre n'avait pas apporté ce qu'il lui fallait, il ne lui put dire la messe. Mais le mardi matin Monsieur de La Boétie le demanda, pour l'aider, dit-il, à faire son dernier office chrétien. Ainsi il ouït la messe et fit ses Pâques. Et comme le prêtre prenait congé de lui, il lui dit : "Mon père spirituel, je vous supplie humblement, et vous, et ceux qui sont sous votre charge, priez Dieu pour moi, soit qu'il soit ordonné par les très sacrés trésors des desseins de Dieu que je finisse à cette heure mes jours, qu'il ait pitié de mon âme, et me pardonne mes péchés, qui sont infinis : car il n'est pas possible que si vile et si basse créature que moi ait pu exécuter les commandements d'un si haut et si puissant maître..."

« Il n'en pouvait plus : de sorte qu'un peu auparavant il avait voulu parler à sa femme, et lui avait dit (du visage le plus gai qu'il pouvait contrefaire), qu'il avait à lui dire un conte. Et sembla qu'il s'efforçait pour parler ; mais, la force lui défaillant, il demanda un peu de vin pour la lui rendre. Ce fut pour néant ; car il s'évanouit soudain et fut longtemps sans voir. Étant déjà bien voisin de la mort, et oyant les pleurs de Mademoiselle de La Boétie, il l'appela, et lui dit ainsi : "Ma semblance, vous vous tourmentez avant le temps ; voulez-vous pas avoir pitié de moi ? Prenez courage, certes, je porte moitié plus de peine pour le mal que je vous vois souffrir, que pour le mien, et avec raison : parce que les maux que nous sentons en nous, ce n'est pas nous, proprement qui les sentons, mais certains sens que Dieu a mis en nous ; mais ce que nous sentons pour les autres, c'est par certain jugement et discours de raison que nous le sentons. Mais je m'en vais." Il disait cela parce que le cœur lui faillait. Or, ayant eu peur d'avoir étonné sa femme, il se reprit et dit : "Je m'en vais dormir ; bonsoir, ma femme, allez-vous-en." Voilà le dernier congé qu'il prit d'elle. Après qu'elle fut partie : "Mon frère, me dit-il, tenez-vous auprès de moi s'il vous plaît." Et puis, sentant les pointes de la mort plus pressantes et poignantes, ou bien la force des quelques médicaments chauds qu'on lui avait fait avaler, il prit une voix plus éclatante et plus forte, et donnait des tours dans son lit avec tout plein de violence : de sorte que toute la compagnie commença à avoir quelque espérance parce que jusqu'alors la seule faiblesse nous l'avait fait perdre...

« "Y fussé-je déjà, mon frère, me dit-il, il y a trois jours que j'ahane pour partir." Étant sur ces détresses, il m'appela souvent pour s'informer seulement si j'étais près de lui. Enfin il se mit un peu à reposer, ce qui nous confirma encore plus en notre bonne espérance. De manière que, sortant de sa chambre, je m'en réjouis avec Mademoiselle de La Boétie. Mais une heure après ou environ, me nommant une fois ou deux, et puis tirant à soi un grand soupir, il rendit l'âme... »

Pas de larmes sur son ami, point de scènes de désespoir. Mais le sentiment d'un manque continuel en soi-même, d'une absence qu'à chaque instant sa raison lui déclarait irrémédiable, et qu'à chaque instant son instinct lui rendait surprenante et nouvelle.

À chaque livre nouveau, ou devant tout fait ou spectacle curieux : « Qu'en va penser Étienne ? je vais demander à Étienne. » Ces questions qu'il ne pouvait réprimer lui causaient une longue angoisse, un malaise profond qui semblait devoir lui gâter pour toujours la joie même de la pensée. Sa nature sceptique et indolente avait eu besoin de cette vaste confiance en un aîné ; peu enclin de soi-même à approuver et à s'élancer, il avait dû à Étienne sa plus noble part de ferveur, des instants d'enthousiasme, et ce besoin de foi qu'il ne pensait même pas à assouvir dans l'Église. Il n'avait cru rien de vrai, rien de bien, que ce qui faisait briller les yeux de son aîné, rien que ce qui lui était communiqué, sans arguments, par cette flamme fraternelle. Que croire désormais, et que savoir ?

Au lieu de la douleur pleine et lourde des veuves ou des pères, il sentait un vide qui l'avait privé de toute une partie de son âme ; il se sentait amputé, non d'un membre, mais de la part la plus haute et la plus saine de son esprit, et il avait peine à croire qu'il demeurât vivant et entier, voyant perdue pour jamais la plus vivante et forte partie de ses habitudes.

Les œuvres de son ami, cela du moins lui demeurait, et surtout les œuvres qui devaient rester secrètes, monument solide de pensée droiturière ; il lui restait aussi ceux parmi les livres que son ami avait le mieux aimés tels que Plutarque, ou, parmi les hommes dont parlent les livres, ceux qui pouvaient présenter avec lui quelque ressemblance. Le coup de cette mort, l'austère souvenir de son ami, le grand besoin de force qu'il sentait après cette perte, et d'une règle de conduite assez sûre et assez ferme pour remplacer les conseils d'Étienne, l'amenèrent plus près qu'il ne fut jamais de la sagesse des stoïques. Le travail que son esprit se trouvait sans cesse contraint de faire sur cette mort, ce retranchement d'une part de soi-même qui ne pouvait lui faire envisager la mort que comme un retranchement, l'amenèrent, contre les tendances naturelles de sa propre nature, à former et garder pendant longtemps cette pensée, « que philosopher c'est apprendre à mourir ».

AFFAIRES DE FAMILLE

Le père de Michel de Montaigne avait cinq fils, dont Michel était l'aîné. Michel devait donc hériter de la terre, du titre et de la plus grande partie des biens. Pendant que son fils jouait au magistrat à Bordeaux, Pierre Eyquem de Montaigne se sentait vieillir ; il souhaita que son fils se mariât le plus vite possible et fît souche, afin d'être sûr de sa descendance et de la perpétuité du nom. Célibataire peu vertueux, assez gouailleur, un brin misogyne, Michel était plus que jamais incapable de passion violente : son amitié pour Étienne avait pris et épuisé tout ce qui pouvait tenir en lui de sentiments violents. Tout cela le rendait justement plus docile qu'un autre pour accepter le parti que sa famille voudrait lui proposer. D'ailleurs, le sentiment de la famille agissait sur lui moins comme la conscience d'un devoir que comme une nonchalante obéissance à la coutume. Dès que son père lui en parla, Michel comprit qu'il fallait y passer. Il fut presque heureux que sa famille se chargeât pour lui de choisir sa future épouse.

Françoise de La Chassaigne était fille d'un

conseiller au parlement de Bordeaux, petite-fille du président en second de ce parlement ; cette famille avait déjà eu des alliances avec les Eyquem. Le contrat de ce mariage de raison fut passé le 22 septembre 1565. Antoine de Louppes, cousin germain de la mère de Montaigne, se chargea d'arranger le mariage. Pierre de Montaigne donna à son fils aîné le quart de ses propres revenus. La famille de La Chassaigne consentit une dot de sept mille livres tournois, qui représente quelque chose comme un million d'après-guerre. Antoine de Louppes se portait caution du paiement de la dot.

Les affaires étant ainsi réglées à la satisfaction générale, le mariage eut lieu.

Michel n'avait aucune raison d'aimer sa femme, et il n'était même pas très capable d'amour. Mais c'était l'homme du monde le moins capable de manquer d'égards, d'être impoli, violent, ou même négligent. Il mena sa femme chez lui avec la courtoisie la plus raffinée et avec un respect qui sauvegardaient d'avance, comme tout mari avait alors droit de le faire, les droits de sa solitude et de son indifférence.

« Eh bien, se disait-il le matin en s'éveillant, t'y voilà donc dans cet état où tu as raillé tant d'autres d'être entrés, et que vers ta vingtième année tu n'imaginais pas sans horreur. Sans doute tu n'auras pas le même bonheur ou le même aveuglement qu'Étienne, qui a pu aux premiers temps aimer sa femme, comme une maîtresse, d'affection vive et particulière. Mais enfin, te voilà au moins entré en ménage ; cette femme qui est tienne est du moins sage, prudente, bonne ména-

74

gère et, loin d'avoir à penser du fait de ton mariage à quelques objets nouveaux, te voilà soulagé des soins particuliers et domestiques, de soins que tu n'accomplissais guère sans ennui.

« Or ça, Michel, se demandait-il encore, qu'en adviendra-t-il lors de ta complète accoutumance ? Peut-être quelque lassitude, mais bien plutôt, comme tu connais déjà tes mœurs et façons, quelque douceur d'indolence qui te laissera oublier, et les premières et vives voluptés de ton jeune âge, et le souvenir même de l'amour que tu n'as jamais connu qu'en spectacle ou en rêve. »

Françoise de Montaigne était diligente, bonne ménagère, et vaquait aux soins domestiques avec tout le zèle que Michel aurait pu souhaiter. Il la trouva si commode qu'il en finit par l'oublier. Il la traitait d'ailleurs avec tout le respect possible, sans légèreté ni folâtrerie dont il s'était rassasié ailleurs. Mais Françoise, moins munie d'expériences, aurait souhaité même dans l'amour conjugal un peu plus de mignardises et de moins respectueuses attentions. Jamais son mari ne la vit sans vêtement, jamais il n'entra dans sa chambre sans frapper, jamais il ne la tutoya. Mais il était souvent absent de sa demeure. Il en vint peut-être à douter de l'affection de sa femme. Son union devait rester stérile pendant cinq ans. Il ne savait pas, plus tard (et là sa devise « Que sais-je ? » était un peu moins agréable à appliquer que dans les matières de spéculation pure), si ses enfants étaient bien de lui, et cela refroidissait quelque peu ses sentiments paternels.

Pierre de Montaigne, son père, déjà septuagénaire, souffrait d'une pierre à la vessie, dont il mourut le 18 juin 1568, à l'âge de soixante-douze ans. Il fut enterré à Montaigne, non auprès de ses ancêtres, comme son fils devait le dire plus tard, mais auprès de ses prédécesseurs, les anciens seigneurs de Montaigne.

Michel ne souffrit guère de la mort de son père : il s'y attendait depuis longtemps déjà et il ne trouvait point digne d'être conservée une vie dont on n'avait plus qu'à souffrir. Bien qu'il ne philosophât point encore régulièrement, il nourrissait déjà une certaine idée de l'ordre des choses où la mort de son père entrait comme un phénomène attendu et naturel. Il ne souffrit jamais vraiment que de la mort d'Étienne.

Deux mois après la mort de Pierre de Montaigne, ses quatre fils aînés se présentaient devant le notaire pour partager à l'amiable la succession. Thomas, Pierre et Arnaud renonçaient en faveur de Michel à tous les droits qu'ils pouvaient avoir sur l'héritage. En échange, Thomas reçut la maison et le nom de Bérignac. Pierre reçut le domaine de La Brousse. Arnaud obtint une partie de l'île de Macau et prit le nom de la maison de Saint-Martin, qu'il avait héritée d'un oncle. Bertrand-Charles, qui n'avait alors que huit ans, fut placé sous la tutelle et la charge de Michel, et devait plus tard devenir sieur de Mattecoulon. Michel en fit un gentilhomme de la chambre du roi de Navarre.

En outre, Michel avait trois sœurs cadettes. L'une était déjà mariée, sa dot payée. Les deux autres, Léonore et Marie, devaient recevoir leurs dots aux dépens de Michel.

Michel devenait donc le maître du château de

Montaigne. Sa mère, Antoinette de Louppes, gardait bien le droit d'y habiter, mais une entente avec son fils ne lui laissait qu'une maîtrise honoraire et maternelle. Michel réservait ainsi, moins que ses propres droits, l'autorité ménagère de sa femme et voulait éviter que sa femme et sa mère ne pussent entrer en des conflits qu'il lui faudrait chaque jour trancher tant bien que mal, pour les voir se renouveler le lendemain.

Le domaine de Montaigne était vaste. Pierre Eyquem, travaillé de cette activité incessante et remuante des gens de guerre, avait rebâti le château, fait des chemins, bâti des ponts. Mais Michel, en regardant tout cela devant lui du haut de la tour, y trouvait moins de sujets d'orgueil que de besogne et de peine.

« J'aurais mieux fait, pensait-il, au lieu de me barbouiller de droit et de latin, apprendre à me dépêtrer de ces campagnes, de ces fermes et de toute cette ménagerie. Je trouve feu mon père admirable d'avoir assisté à tant de guerres, d'avoir tant fait pour les gens de Bordeaux, de m'avoir produit moi et tant d'autres enfants, et d'avoir pu encore cultiver tout ce domaine et vaquer à une telle diversité de ménage. Pour nous, Michel, nous ne chercherons point à embrasser tant de si divers objets ni à nous rendre martyr, ni de notre propre bien, ni du service d'autrui. Dieu veuille, cette résolution aidant, nous conserver santé et vigueur aussi longtemps qu'y fut notre père, le plus excellent homme que j'aie jamais vu. »

Son domaine fut une des raisons les plus importantes qui le poussèrent à quitter sa charge de Bordeaux.

Deux ans après la mort de son père, il eut une fille, puis d'autres plus tard, dont il considérait d'un œil négligent les naissances et les morts prématurées. Outre les doutes sceptiques qu'il entretenait quelquefois sur l'origine de ses enfants, il n'entrait point dans sa nature de chérir plus que de raison un être encore informe de corps et d'esprit, qu'il mettait en nourrice dès sa naissance et qu'il ne se dérangeait guère pour aller voir. Étienne de La Boétie, par l'exemple de sa vie, l'influence de sa pensée et le regret de sa mort, l'avait poussé à se munir, pour la mort des siens, de résolutions stoïques. Mais là le stoïcisme lui fut particulièrement facile et il eut assez d'esprit pour n'en point tirer vanité.

QUERELLES AU PARLEMENT

Les querelles religieuses demeuraient aiguës et prenaient, en Guyenne surtout, une intensité singulière. Là, en effet, les calvinistes gagnaient d'année en année du terrain ; quelques familles nobles turbulentes et bien armées, qui les soutenaient, devenaient en temps de troubles dangereuses pour la province. Contre ces dangers, les catholiques, surtout à Bordeaux, réagissaient avec fureur.

Il n'y avait point, au parlement, de conseiller qui appartînt à la religion réformée : en 1557 le parlement de Paris, bientôt suivi de tous les autres parlements de France, avait fait jurer à tous ses membres qu'ils appartenaient à la religion catholique ; c'est à Paris, au cours d'une mission dont l'avait chargé le parlement, que Montaigne avait prêté serment. Mais, entre les catholiques, des dissensions graves existaient. Un parti, loyaliste avant tout, ami de l'ordre, et dont le chancelier de L'Hospital était à Paris, sinon le chef, du moins l'exemple, comprenait au parlement de Bordeaux le premier président Largebaton, et une minorité de conseillers parmi lesquels La Boétie et Montaigne. De l'autre côté, un groupe de magistrats, forcenés catholiques, et plus désireux aussi de prendre une influence et un pouvoir politiques que de s'en tenir à leurs fonctions juridiques. Avant l'arrivée de Montaigne au parlement, en 1554 et 1556, un prédicateur, Bernard de Borda, et deux étudiants, avaient été brûlés vifs. En mai 1559, un riche marchand bordelais, Pierre Feugère, accusé d'avoir mutilé un crucifix de calvaire, fut également brûlé vif. En 1560, de graves émeutes, où prirent part les étudiants du collège de Guyenne, furent durement réprimées. En 1561, une conspiration de huguenots qui voulaient s'emparer du château Trompette, citadelle de Bordeaux, fut découverte et réprimée par plusieurs exécutions capitales. Le parlement de Bordeaux se montra, dans cette affaire, beaucoup plus violent que Burie, lieutenant du roi dans la ville de Bordeaux. Le parlement, pour enchérir sur les mesures qu'avait proposées Burie, voulut, à l'instigation de l'avocat Lange et du président Rossignac, former un syndicat pour défendre la cause catholique. Mais Burie, aidé d'ailleurs des jurats ou magistrats municipaux de Bordeaux, combattit ces mesures.

Le 16 janvier 1662 fut rendu l'édit de pacification préparé par le chancelier de L'Hospital, et qui permit aux huguenots l'exercice de leur culte hors des villes. En avril, un édit permettait aux huguenots d'exercer leur culte dans toute la France sauf Paris. Le parti de Montaigne et de La Boétie, tous deux dévoués au chancelier de L'Hospital, triomphait au parlement de Bordeaux. Étienne commenta cette mesure en quelques mémoires sur l'édit de janvier dont plusieurs copies coururent, mais que plus tard un régime plus sévère, après la mort de La Boétie, empêcha Montaigne de pouvoir imprimer.

S'il suivait le même parti que son ami, Michel semblait le suivre avec plus de douceur. Même les plus zélés de ses adversaires, et qui le tenaient au parlement de Bordeaux en constante minorité ainsi que ses amis, lui pardonnaient plus volontiers qu'au président Largebaton, qu'ils accusaient sourdement d'hérésie. Michel de Montaigne, en effet, ne justifiait presque jamais par raison dogmatique les mesures de tolérance auxquelles il se rangeait ; on lui savait le cœur naturellement tendre, ce qu'il montrait en toutes causes aussi bien qu'en la cause religieuse. On lui savait certes des parents protestants et peu de zèle personnel pour la religion, mais la bonne foi de son loyalisme était hors de doute et jamais personne ne l'avait entendu discuter le moindre point de foi. Lorsqu'en 1562 le parlement de Bordeaux fit renouveler à tous ses membres le serment qu'ils appartenaient à l'Église catholique, Montaigne jura sans protester.

Un peu plus tard, le parlement de Bordeaux, par ses transgressions constantes de l'édit de Guyenne, souleva une nouvelle révolte des calvinistes. Les réformés d'Agen s'emparèrent du couvent des dominicains de leur ville. Le lieutenant du roi M. de Burie et La Boétie furent chargés d'aller faire rendre le couvent aux religieux, ce que l'autorité morale d'Étienne, plus grande que celle de son ami, pouvait seule effectuer.

Quand les troupes des calvinistes s'approchèrent de Bordeaux, le parlement, au grand dépit de Blaise de Montluc, qui commandait dans cette région au nom du roi, se mêla d'organiser la résistance. Montaigne était assez l'ami du connétable de Montluc. Ce dernier, impitoyable contre les huguenots pendant la guerre civile, était pendant la paix le plus loyal observateur des traités, et même un esprit large et tolérant. Néanmoins Montaigne se soumit aux prescriptions de ses collègues et monta comme eux, avec une soumission ennuyée, quelques gardes aux portes de la ville.

En mars 1563, l'édit d'Amboise, qui rendait aux réformés un certain nombre de libertés, fit à nouveau triompher le parti de Montaigne. Il rencontra moins d'opposition que le précédent, mais à Bordeaux les fanatiques ne désarmaient pas. Il fallut toute l'autorité de Blaise de Montluc, aussi peu tendre aux catholiques rebelles qu'aux protestants, pour faire enregistrer l'édit. Et le parlement de Bordeaux l'exécuta si mal que le roi dut envoyer une commission à Bordeaux pour le faire mettre en vigueur. Quelques mois après, le conseiller Malvin, l'un des chefs catholiques fanatiques au parlement de Bordeaux, présenta au parlement même une requête contre le premier président. Celui-ci d'ailleurs était brouillé avec le gouverneur, M. de Noailles. Heureusement, Blaise de Montluc revint et pacifia la querelle.

Montaigne avait toujours été, à Bordeaux, l'ami des lieutenants du roi ; il l'était de M. d'Escars, grand sénéchal de Guyenne, qu'il avait connu à la cour. L'esprit particulariste de ses collègues le lui reprochait assez vivement. Et là, le président Largebaton se tournait aussi contre Montaigne. Il lui reprocha un jour en séance secrète, ainsi qu'à une dizaine de ses collègues, de servir de conseil à d'Escars dans ses affaires privées, de fréquenter chez lui et de manger à sa table. Cependant le parlement de Bordeaux, voyant M. d'Escars soutenu par la cour, ne donna point de suite à cette affaire.

En 1565, le roi Charles IX vint à Bordeaux, accompagné du chancelier de L'Hospital, pour mettre à la raison l'esprit particulariste du parlement bordelais. Le parti royaliste et Montaigne triomphaient, ce dernier discrètement d'ailleurs, pendant la harangue sévère que fit M. de L'Hospital :

« Il y a ici beaucoup de gens de bien, desquels les opinions ne sont pas suivies ; elles ne se pèsent point mais se comptent. J'ai ouï parler de beaucoup de meurtres, pilleries et forces publiques commises en ce ressort. J'ai reçu beaucoup de plaintes des dissensions qui sont entre vous. Voici une maison mal réglée, c'est vous autres qui en devez rendre compte.

« La première faute, c'est la désobéissance que vous portez à votre roi ; car encore que ses ordonnances vous soient présentes, vous les gardez s'il vous plaît, et si vous avez des remontrances à lui faire, faites-les-lui au plus tôt, et il vous entendra... Le mal vient de ce que vous êtes partagés entre vous en diverses factions. J'ai vu vos registres, et trouvé que vous en venez quelquefois aux injures et presque à vous battre ; je vois aussi que vous ne tâchez pas de garder votre autorité, que vous devez garder pour être révérés et non craints. »

En 1567, la guerre recommença en Guyenne et Bordeaux se trouva de nouveau menacé. Le parlement très effrayé fit appel à Blaise de Montluc. Le fanatisme redevint si grave et si violent dans la ville, qu'il épouvanta le parlement lui-même, où les modérés eurent pour une fois la majorité ; à l'église de Saint-Michel, le prédicateur La Godine excitait les fidèles à la prise d'armes et au meurtre. Le parlement lui interdit, sous peine de la corde, de tenir des propos tendant à la sédition. Il n'en continua pas moins, et ne fut qu'expulsé.

À ce moment, le chancelier de L'Hospital menacé, fatigué par trop d'intrigues et par une tâche trop lourde, s'était retiré. Ce fut un grave échec pour tous les modérés dans tout le pays. À Bordeaux les fanatiques du parlement reprirent courage, et réussirent un moment à déposséder de ses fonctions le président Largebaton, qui dirigeait la petite minorité dont faisait partie Michel de Montaigne. Largebaton, toutefois, reprit sa place en 1571.

Tant qu'Étienne avait été auprès de lui, pour l'animer de son exemple et le réchauffer quelque peu de principes, Montaigne avait pu au parlement tenir sa place auprès de ses amis. Il avait pu accepter, pour essayer au moins de limiter le mal, d'exécuter bien des mesures qu'il n'approuvait point. Il s'était résigné à la patience en voyant toutes les mesures de paix éludées ou ouvertement violées. Parfois il n'avait pu soutenir que faiblement et bien inutilement certaines opinions particulières. Les sorciers par exemple, lorsqu'on les découvrait, étaient torturés, et s'ils avouaient,

84

condamnés à être brûlés vifs. Montaigne avait pu en observer quelques-uns ; il s'était convaincu que presque tous avaient seulement la cervelle dérangée, que les autres, même s'ils se l'imaginaient, n'avaient point avec l'enfer de communication véritable. Il demandait quelquefois qu'on les traitât seulement comme des malades d'esprit, mais était obligé de procéder avec prudence, car la réalité de la possession passait alors pour être matière de foi.

La torture aussi lui faisait horreur, mais là il ne pouvait vraiment rien obtenir que de ne point assister à la question, et on ne lui pardonnait cette opinion, qui paraissait extravagante, que parce qu'on connaissait la tendresse naturelle de son caractère.

Mais lorsque La Boétie fut mort et que le peu de zèle qu'il avait mis dans le cœur de Montaigne se fut peu à peu éteint, que le chancelier de L'Hospital, le seul homme en qui Michel de Montaigne mît sa confiance, eut renoncé à la tâche, Michel pour sa faible part, y renonça aussi. D'autre part, son père n'était plus là pour regretter que Michel ne continuât point d'occuper une charge libérale, et il fallait s'occuper des terres de Montaigne. En juillet 1570, Montaigne quitta le parlement et se désista en faveur de Florimond de Raymond, qui obtint du roi, par lettre patente « l'état et office de conseiller en la cour du parlement de Bordeaux que naguère voulait tenir à exercer maître Michel de Montaigne, vacant à présent, par la pure et simple résignation qu'il en a ce jour d'hui faite ».

Florimond de Raymond, ardent catholique, fut

un pamphlétaire parfois violent et un magistrat plutôt fanatique. Néanmoins, Michel de Montaigne et lui, unis par des liens personnels, restèrent toujours des amis dévoués.

LA THÉOLOGIE NATURELLE

Pierre de Montaigne, toujours ami des érudits, et des plus grands comme des moindres, avait autrefois accueilli chez lui un professeur nommé Pierre Bunel, qui lui avait laissé, en partant, tant pour l'édifier si possible, que pour reconnaître son hospitalité, un ouvrage du docteur Raymond de Sebonde intitulé la *Théologie naturelle*. L'hôte avait bien objecté à Bunel qu'il ne comprenait guère le latin ; à quoi Bunel avait répondu que ce livre n'avait de latin que l'apparence et l'essentiel des formes, mais que le tour en rappelait bien plutôt l'espagnol, qui était la langue de l'auteur. Pierre de Montaigne le lut comme il put. C'était, comme d'autres professeurs le lui dirent plus tard, un abrégé de saint Thomas d'Aquin, agrémenté dans le détail de quelques réflexions personnelles. Pierre de Montaigne n'était pas grand clerc en théologie, mais il ne trouvait ni désagréable ni peut-être inutile qu'un livre clair et pittoresque lui démontrât l'existence de Dieu. Mais quand sa tête commença de durcir avec l'âge, le latin, voire celui de Sebonde, commença à lui devenir difficile, même avec des lunettes. Par bonheur il avait sous la main son fils aîné dont il avait fait un savant, et dont il tirait fierté à l'occasion auprès des professeurs qui venaient le visiter. Il pria donc son fils Michel de lui traduire en français la *Théologie naturelle*.

Ce fut le premier effort d'esprit que Michel eut à tenter aussitôt après la mort d'Étienne. Il crut d'abord s'y mettre à peine, mais il avait par bonheur une merveilleuse facilité à être diverti. La matière de l'ouvrage lui était comme neuve et étrangère : il n'avait étudié que bien discrètement la théologie et le peu qu'il en avait appris, il l'avait déjà parfaitement oublié. Cette matière ne l'intéressait pas d'ailleurs naturellement : il ne pensait pas assez à Dieu pour y porter souvent ses doutes, il réglait sa vie suivant d'autres conseils, et cette forme de raisonnement scolaire, justement parce qu'elle ressemblait un peu au droit où à cette époque il se trouvait encore plongé, était celle qui pouvait lui agréer le moins. Mais sans presque qu'il s'en aperçût (et surtout du contact d'Étienne, qui en même temps qu'un orateur était un argumentateur vigoureux), l'esprit de Michel avait pris une ampleur et une subtilité singulières. Après avoir pris la *Théologie naturelle* uniquement pour plaire à son père, il la poursuivit, en une traduction faite surtout de larges paraphrases, et en suivit le sens, à mesure qu'il traduisait, avec une sorte d'amusement passionné.

Raymond de Sebonde était un bon esprit, et bien honnêtement orthodoxe, mais il n'avait pas tout à fait le talent de rendre forts les arguments faibles. Il resservait les arguments de tous les pères, de tous les saints, de tous les docteurs, et Montaigne voyait défiler devant lui toutes les autorités de l'Église, auxquelles jusqu'à présent il n'avait jamais pensé, et les autres avec une familiarité qui allait quelquefois jusqu'au dédain.

« C'est là, se disait-il, en traduisant, d'un peu loin, quelque argument faible et fatigué, plus propre peut-être à édifier un esprit déjà conquis par la grâce qu'à forcer le consentement des incrédules, c'est donc là tout ce que les hommes ont trouvé touchant la plus grave question qui les agite ? Il n'y a pas beaucoup plus de sens làdedans que dans les discours de deux plaideurs qui se disputent les hardes de leur père mort ou quelque chétif lopin de terre. Les théologiens comme les plaideurs s'appuient surtout sur la coutume, et celui qui veut, comme c'est l'ambition de tous les théologiens, pleinement renoncer à la coutume pour chercher la véritable raison des choses, celui-là n'arrive à rien, et doit laisser flotter son entendement comme au hasard. Les autres docteurs présentent les mêmes raisons que ce bonhomme de Sebonde, et à vrai dire, je crois que ce n'est pas Sebonde qu'il me faudrait accuser de la débilité de ses raisons, mais tous les traités où il a puisé ses raisons et peut-être en général toute raison humaine. »

Piqué de curiosité, Michel se remit aux philosophes pour rechercher de bonne foi s'il trouverait leurs raisons meilleures que celles des théologiens. Il acheta des livres, occupation qui devait lui durer toute sa vie.

Il présenta sa traduction manuscrite à son père. Pierre de Montaigne en fut ravi. Jamais son manuel de *Théologie naturelle* ne lui avait présenté tant de vertus ni tant de charmes. Il voulut que le public en pût profiter, et pût jouir en même temps de l'érudition et du beau langage de son aîné. Il demanda donc à Michel de faire imprimer son ouvrage. Michel revit son œuvre et s'apprêtait à la publier lorsque son père mourut. Michel alors dédia le livre à son père et le fit paraître sans même revoir les épreuves au moment où lui-même réglait son héritage à Montaigne. Il en résulta un nombre de fautes presque énorme, dont il se trouva bien marri, et son irritation devant ces coquilles lui révéla ce qu'était la vanité littéraire.

ÉDITION D'ÉTIENNE DE LA BOÉTIE

Étienne, en mourant, avait légué ses œuvres à son ami. Il y avait là le *Discours de la servitude volontaire,* dont plusieurs copies couraient, mais qu'il était à ce moment-là presque impossible d'imprimer. Il y avait les mémoires sur l'édit de janvier, que le recommencement des guerres religieuses rendait aussi dangereuses à imprimer que, peut-être, inopportunes. Restaient d'une part les vers français d'Étienne de La Boétie, et d'autre part ses œuvres d'érudit. Outre les poésies latines, une traduction de l'*Économique* de Xénophon, que La Boétie avait traduit sous le titre de *Ménagerie.* Un traité de Plutarque, les *Règles de Mariage* que La Boétie avait traduit avant son propre hymen et qui avait été pour son ami comme le guide le plus sérieux pour sa vie conjugale ; enfin, une lettre de consolation de Plutarque à sa femme, dont Michel de Montaigne s'était servi à l'occasion. Ce que La Boétie lui avait donné de meilleur, c'était la facilité, accrue encore par sa latinité brillante, de considérer l'Antiquité comme vivante, comme toute proche, comme immédiatement utilisable. C'était cela qu'il fallait éditer. Michel, sitôt débarrassé de sa charge, se rendit à Paris. Avant de publier les œuvres de son ami, il venait consulter sur leur valeur, et sur les chances de leur succès, tout ce qu'il avait pu connaître à la cour d'hommes instruits dans les lettres.

Jacques Amyot, en dépit de la concurrence posthume qui se présentait à lui, approuva les traductions du grec. Pour les œuvres latines, Michel s'y connaissait assez pour n'avoir besoin de personne. Quant aux poésies françaises il les aimait aussi, et avec une espèce d'enthousiasme, mais il n'était pas sans savoir que la mode à Paris était variable, et fort différente en ses exigences de ce que son ami aurait voulu faire, et de ce que lui-même pouvait croire la suprême beauté. Il soumit donc ces vers aux jugements de plusieurs poètes à la mode, parmi lesquels se trouvait Jean-Antoine de Baïf.

Les vers déplurent. On y trouvait une grande dureté d'expression, des traits qui sentaient un peu trop le langage bordelais ; Pétrarque était entièrement passé de mode et La Boétie pétrarquisait beaucoup. Mais surtout on trouvait dans les vers de La Boétie une quantité insuffisante d'Antiquité, de réminiscences latines et grecques.

Toutes ces critiques, Montaigne n'en crut rien. Mais, pour obtenir plus sûrement la gloire posthume qu'il voulait pour Étienne, il décida de diviser le recueil. Les traductions et les œuvres latines parurent à part.

Là, Michel, en souvenir de la fierté de son ami, pour se prouver à lui-même qu'il n'avait pas oublié encore les hauts enseignements de stoïcisme et de liberté qu'il avait reçus d'Étienne, pour se prouver aussi qu'après avoir quitté sa charge il n'attendait plus rien désormais de la cour, du prince, ni du monde, risqua une dédicace audacieuse. Le chancelier de L'Hospital avait été en politique le maître et l'exemple des deux amis ; il était de plus un poète latin élégant et choisi ; il vivait depuis quelque temps dans une disgrâce à laquelle il avait su donner la fière allure d'une retraite volontaire ; Michel mit son nom en tête du livre. Quelques mois après, la même année, les vers français de La Boétie parurent à leur tour, sans grand succès, mais destinés du moins aux amis et peut-être, Montaigne l'espérait, à la postérité.

En éditant la *Consolation* de Plutarque, voici comment il consolait sa femme de la mort de leur première enfant :

« À Mademoiselle de Montaigne
ma femme

« Ma Femme, vous entendez bien que ce n'est pas le tour d'un galant homme, aux règles de ce temps-ci, de vous courtiser et caresser encore. Car ils disent qu'un habile homme peut bien prendre femme : mais que l'épouser c'est le fait d'un sot. Laissons-les dire : je me tiens de ma part à la simple façon du vieil âge, aussi en portai-je le poil. Et de vrai la nouvelleté coûte si cher jusqu'à cette heure à ce pauvre état (et si, je ne sais si nous en sommes à la dernière enchère) qu'en tout et par tout j'en quitte le parti. Vivons, ma femme, vous et moi, à la vieille française. Or il peut vous souvenir comme feu Monsieur de La Boétie ce mien cher

93

frère et compagnon inviolable, me donna, mourant, ses papiers et ses livres, qui m'ont été depuis le plus favorable meuble des miens. Je ne veux pas chichement en user moi seul, ni ne mérite qu'ils ne soient qu'à moi. À cette cause il m'a pris envie d'en faire part à mes amis. Et parce que je n'en ai, le crois-je, nul plus privé que vous, je vous envoie la Lettre consolatoire de Plutarque à sa femme, traduite par lui en français : bien marri de quoi la fortune vous a rendu ce présent si propre, et que n'ayant enfant qu'une fille longuement attendue, au bout de quatre ans de notre mariage, il a fallu que vous l'ayez perdue dans le deuxième an de sa vie. Mais je laisse à Plutarque la charge de vous consoler, et de vous avertir de votre devoir en cela, vous priant de le croire pour amour de moi : Car il vous découvrira mes intentions, et ce qui se peut alléguer en cela, beaucoup mieux que je ne le ferais moi-même. Sur ce, ma femme, je me recommande bien fort à votre bonne grâce, et prie Dieu qu'il vous maintienne en sa garde.

De Paris, ce 10 septembre 1570.

Votre bon mari,

Michel de MONTAIGNE. »

ENTRÉE DANS LA RETRAITE

Avant de partir de Paris, Michel avait revu encore une fois la cour. La paix qui venait d'être signée avait rendu un moment quelque espérance à ses amis. Mais, dans les conversations qu'il put avoir, il devinait des intentions qui n'annonçaient rien de bon. Il rentra donc chez lui en février, et se rappelant sa plus belle latinité il écrivit dans la tour, dont il devait faire sa bibliothèque :

« L'an du Christ 1572, âgé, de 38 ans, la veille des calendes de mars, anniversaire de sa naissance, Michel de Montaigne, déjà depuis longtemps lassé de l'esclavage de la cour et des fonctions publiques, s'est réfugié, alors qu'il se sentait encore intact, dans le sein des Muses, pour y trouver le calme et l'entière sécurité, pour y passer les jours qui lui restent. Espérant que le destin lui permettra de parfaire cette habitation, il a consacré à sa liberté, à sa tranquillité et à ses loisirs, cette douce retraite paternelle. »

Puisqu'il quittait les soucis publics, deux soins divers réclamaient son activité. Il voulait d'abord reprendre l'administration de son père de façon à n'en point démériter. Faute de savoir bien administrer, il voulut au moins épargner et, pendant quelques années, il entassa dans un coffre tout l'argent qu'il put. Cette manière de gérer son bien lui semblait la plus digne et la plus austère. Elle était aussi la plus contraire à son humeur naturelle ; il croyait devoir, pour rester fidèle à la mémoire de son ami Étienne, combattre le plus qu'il pouvait son indolence et son insouciance. Au reste, des soucis plus graves le retenaient la plupart du temps fort éloigné de tous les objets de dépenses. Il ne souhaitait pas encore voyager. L'incertitude des temps, qui mettait à chaque instant en péril les maisons, les récoltes et les personnes même, faisait que mettre de côté une somme liquide n'était point si sotte précaution. Plus tard il s'ennuya de cette méthode, se moqua de lui-même et dépensa tout.

Malgré sa retraite, ses amis de la cour pensaient encore à lui. En octobre 1571, il était nommé Chevalier de l'ordre national de Saint-Michel, par une lettre très élogieuse du roi Charles IX, et il devait peu de temps après recevoir le titre honoraire de Gentilhomme de la Chambre.

Les gens de lettres qu'il avait fréquentés à Paris, soit à la cour, soit au moment où il éditait les œuvres d'Étienne, ceux encore qui lui étaient restés des relations et des obligés de son père, faisaient alors grand cas de lui ; sa traduction de la *Théologie naturelle* lui avait donné le goût de l'œuvre imprimée, et, avec ses préfaces aux œuvres de La Boétie, lui avait déjà donné une réputation d'auteur. Le souci de justifier cette réputation compta peut-être dans les motifs qui le décidèrent à commencer d'écrire. Ce qui compta aussi, et davantage sans doute, ce fut le souci de se continuer à lui-même les conseils que lui donnait autrefois Étienne de La Boétie. La fréquentation des auteurs qu'Étienne aimait le plus, le souci des questions qui avaient autrefois préoccupé Étienne, marquaient un désir de compléter par son œuvre ce qui désormais lui manquerait dans sa vie. La contagion des opinions de son ami fut comme l'instinctif subterfuge qui pouvait le lui rappeler et lui remplacer sa présence.

Son indolence corporelle, jointe à ses merveilleuses facultés d'esprit et à l'aisance encore sauvegardée de sa latinité, faisait que pour lui le repos pouvait se confondre avec l'étude, la composition avec les loisirs. Mais, dans cette grande maison de campagne, il sentit bientôt le besoin d'épargner de son temps et de sa solitude autant et plus que de ses écus. Il s'était retiré du monde, et c'était là peu de chose pour lui s'il n'arrivait pas à se retirer du reste, c'est-à-dire des soucis de la vie, et de sa famille même. Dans le château de Montaigne il y avait une tour séparée du reste du logis ; elle pouvait communiquer avec le sommet d'un mur qui lui servait de promenade ; elle était à petite distance de la chapelle. Michel s'y cloîtra, et donna des ordres sévères pour que personne ne l'y vînt déranger. Bientôt il fut tout fier d'avoir pu « soustraire ce seul coin à la communauté et conjugale, et filiale, et civile ». D'ailleurs cette retraite pouvait, dès qu'il le voulait, s'accommoder avec les soucis de sa maison. De sa tour et du rempart qui la continue il avait vue sur sa maison : « Je suis sur l'entrée, et vois sous moi mon jardin, ma basse-cour, ma cour, et dans la plupart des membres de ma maison. »

Dans cette tour, Michel avait d'autres amusements que la lecture ou l'écriture : de grandes poutres s'offraient à sa pointe ou à son couteau, où il pouvait graver soit des sentences, soit quelques faits essentiels de sa vie. De temps en temps, fatigué de lire, il choisissait dans ses lectures un texte à graver. La plupart furent pris dans l'Ecclésiaste, dans les Épîtres de saint Paul, dans Sextus Empiricus.

Sur les rayons s'entassaient ses livres, dont les uns lui venaient de son père, dont les autres lui étaient, à mesure de leur apparition, envoyés de Paris par leurs auteurs, ou par les amis qu'il avait chargés de le fournir.

Tous reliés, la plupart de vastes et lourds in-quarto et in-folio, il arriva peu à peu à en entasser jusqu'à mille. Les marges étaient grandes, et long-temps, tant qu'il ne fut pas sûr du dessein de son livre, ou quand le travail commencé cessait de le satisfaire, ou quand une nonchalance le poussait à suivre la pensée des autres plutôt que la sienne propre, Michel couvrait les marges de ses notes, ou choisissait les citations.

DÉBUT DES *ESSAIS*

Traduire quelquefois, comme il l'avait déjà fait, quelques sentences latines, choisir quelques anecdotes qui se rapportaient à la même morale, il s'y amusa quelque temps sans prévoir encore le dessein d'un livre. À ce moment, ses opinions mêmes étaient flottantes. Il respectait la philosophie morale des stoïciens, mais jamais il n'était entré dans les aventures de leur spéculation ni de leur système du monde. De temps en temps, quand il reprenait son Lucrèce, la puissance de cette poésie, la beauté supérieure de cette langue latine où les stoïciens n'avaient guère parlé, le poussaient plutôt à lire ce que Sextus Empiricus, ce que les traités de Cicéron, ce que Plutarque même, dans les réfutations brutales de son *Contre Colotès*, contenaient de renseignements sur les vies et les maximes des épicuriens. Jamais il n'éprouva la difficulté de choisir entre les deux doctrines ; elles conseillent les mêmes actions, avec une métaphysique et des manières d'argumenter différentes, et Michel se moquait bien, dans les philosophes qu'il étudiait, de la métaphysique et de la manière d'argumenter. Il moralisait sans dogme, à la manière des petits traités de Plutarque et des conversations qu'il avait pu autrefois avoir avec La Boétie.

C'est par le souvenir d'Étienne que lui vint le souci de se connaître lui-même. Cet ami mort, qu'il continuait à regarder comme le plus grand et le plus pur de tous ceux qu'il avait pu connaître, cet ami l'avait peut-être bien connu, et l'avait en tout cas estimé et aimé. Montaigne ne se jugeait donc pas indigne d'estime et de bonne amitié. Tout en reconnaissant de bonne grâce la plupart de ses défauts physiques et de ses erreurs, il se portait à lui-même quelque estime et quelque tendresse. Parfois, lorsqu'il s'exhortait et se cherchait soi-même, il s'appelait « Michel », comme autrefois l'avait appelé La Boétie, et dans sa propre voix, dans le sentiment qui le guidait, dans son exhortation et son enquête, il retrouvait, autant qu'il pouvait, son ami. Au bout de quelques mois de solitude et de lecture, de lignes tracées au hasard, quelquefois reprises et plus souvent brûlées, Michel sentait ses pensées se multiplier et s'accroître. C'était une aventure alors bien rare, que la solitude d'un homme sans objet, sans regrets et sans foi. L'ampleur et la diversité de ses propres opinions le surprit et l'amusa.

Durant l'été il se tenait dans sa bibliothèque vaste et voûtée, où l'attirait presque infailliblement, même au milieu d'une page ou devant un projet ébauché, l'attrait plus fort et la facilité des livres. Mais en hiver, la grande bibliothèque, qu'il était impossible de défendre contre le vent, et impossible aussi de chauffer, devenait presque inhabitable. Michel frileux comme tous les indolents se retirait alors dans une petite pièce voisine, ornée de quelques peintures mythologiques, et, couvert d'une robe de laine, il passait la plupart des heures de la journée devant un grand feu de bois. C'est là qu'il commença de se ruminer, soi et son livre.

Il relisait quelquefois le journal que son père avait écrit sur ses campagnes d'Italie. Lui-même longtemps empli de pensées et d'ambitions politiques, et qui avait bien dû renoncer à les réaliser, s'était moins facilement débarrassé des pensées que des projets. Philosophe maintenant, et non plus politique à ce qu'il voulait croire, les intrigues, la diplomatie et même les guerres le passionnaient toujours. Il trouvait de temps en temps dans les chroniques de Froissard des mœurs plus naïves que celles de son temps, des opinions gauches, l'histoire toute crue. Guichardin le ramenait à l'Italie avec des complications d'intrigues que le journal de son père ne lui laissait pas deviner. L'un de ses modèles était Philippe de Commines dans lequel il retrouvait, sinon tout à fait le prince qu'il eût aimé voir sur le trône, du moins le politique et le conseiller tel que lui-même eût voulu l'être. Sage, prudent, modéré, efficace en ses conseils, la Cour de France en ce moment aurait eu bien besoin, en même temps que de L'Hospital rentré en grâces, d'un Philippe de Commines ressuscité. Montaigne y eût suppléé peut-être, mais la cour n'avait point voulu le savoir.

De temps en temps des nouvelles de la cour lui arrivaient. Henri de Navarre, en 1572, épousa Marguerite de Valois, fille de la reine Catherine et sœur du roi de France. Le 24 août, le massacre de la Saint-Barthélemy éclata ; presque toutes les provinces en imitèrent l'exemple. C'était le triomphe des plus acharnés catholiques, et en tout cas le recommencement de la guerre civile plus implacable que jamais. En outre, Michel de Montaigne, qui sans doute n'avait rien à craindre pour lui-même, avait parmi les réformés et les victimes de nombreux amis et quelques parents. Il fut consterné de la nouvelle et plus heureux que jamais de sa retraite. Il avait pu résister autrefois, au parlement de Bordeaux, soutenu par l'exemple ou par le souvenir d'Étienne de La Boétie, et à un moment où le chancelier de L'Hospital encore en faveur pouvait laisser quelque espoir de paix ; mais maintenant les temps étaient trop mauvais. À celui qui ne voulait ni se jeter dans le camp des réformés, ni résister en face aux sectaires des deux partis au nom d'une humanité qui ne leur eût attiré que peu de partisans, il n'y avait qu'à se taire et à laisser passer l'orage.

Lorsqu'il voulait s'évader et des soucis modernes et des pensées trop difficiles, en gardant l'illusion de moraliser encore, Montaigne se tournait vers les historiens anciens. Les belles éditions s'en multipliaient en Italie et à Paris, elles lui parvenaient de temps à autre pour lui donner, dans l'antique, l'illusion de la nouveauté. D'ailleurs il gardait toujours le plaisir de moraliser : tant parce que la plupart d'entre eux moralisent que par l'habitude de moraliser sur toutes histoires, goût qu'il aurait peut-être eu de nature, mais qui pouvait aussi lui venir de son siècle : Bodin avait publié, en effet, un opuscule sur la manière d'employer l'histoire, c'est-à-dire de la tourner toujours vers la morale. De temps en temps Michel y prenait une anecdote, il la traduisait, il la paraphrasait, il la rapprochait de quelques autres. Tantôt, quand les souvenirs d'Étienne ou les grandes pensées l'emportaient, il les réunissait comme un commentaire d'une maxime. Tantôt, quand il tendait plutôt à se rappeler la politique et ses ambitions, il discutait sur « l'heure de parlement » ou pour savoir « si le chef d'une place assiégée doit sortir pour parlementer ». Tantôt, quand la simple curiosité l'emportait, il s'occupait à réunir quelques anecdotes sur les senteurs. Il ne savait encore quel livre en faire, mais les pensées les plus générales commençaient à s'assembler. Il sentait déjà naître en lui ce vaste plaisir de la diversité, dont il avait autrefois éprouvé les premières atteintes lorsqu'il visitait des sauvages à Rouen. Il continuait de recevoir toutes les relations que les voyageurs composaient de leurs expéditions aux Indes et en Amérique. Mais tout cela n'avait pas encore pris rang parmi ses plus sérieuses études, et c'était toujours le souvenir d'Étienne qui dominait la librairie. Sur la frise de la bibliothèque, il avait gravé en latin cette inscription :

« Michel de Montaigne, privé de l'ami le plus tendre, le plus charmant, le plus intime, tel que notre âge n'a rien vu de meilleur, de plus savant, de plus charmant et certes de plus parfait, voulant consacrer le souvenir du mutuel amour qui les unissait l'un à l'autre par un témoignage particulier de sa reconnaissance, et ne pouvant le faire de manière plus éclatante, lui a consacré tout cet appareil d'érudition dont il fait ses délices. »

AMITIÉ DE HENRI DE NAVARRE

Depuis la Saint-Barthélemy, Henri de Navarre était resté prisonnier au Louvre. Cependant son influence croissait dans le pays. Les protestants, en le reconnaissant pour leur chef, se donnaient un maître de plus d'envergure que les féodaux ambitieux ou les fanatiques qui les avaient jusqu'alors dirigés. Ils se donnaient aussi un chef plus modéré ; ceux d'entre les catholiques qui commençaient à désespérer de trouver parmi les leurs un prince capable de leur assurer une paix solide (rejetés du reste par les fanatiques de leur propre religion et confondus avec les hérétiques comme l'avait été à Bordeaux le président Largebaton) commençaient eux aussi à mettre quelque espoir dans Henri de Navarre. Une part des catholiques, même violents à la guerre comme l'était le connétable de Montluc, ne recherchaient cependant, dans l'écrasement des réformés, que l'unité du royaume. On pouvait espérer que ceux-là, s'ils devaient voir sauvegarder par un prince protestant l'intégrité du royaume et la monarchie légitime, n'hésiteraient pas à se rallier à ce prince contre ceux mêmes de leur religion. En 1574, Charles IX étant mort, Michel de Montaigne, ainsi que tous les autres chevaliers de l'Ordre de Saint-Michel, vint au mois de juillet pour assister aux obsèques. Là, au début du règne de Henri III, il put se rendre compte que cette cause, qu'il adorait dans sa retraite sans trop y croire, pouvait bien prendre des partisans même à la Cour, non tant par les progrès de la raison que par les mécontentements qu'avait causés le roi légitime. Le roi Henri III, qui revenait de Pologne, avait essayé tant par maladresse ou ignorance que par hauteur de caractère, de faire adopter à sa Cour les coutumes plus serviles du pays d'où il venait. Michel en fut choqué comme les autres ; il n'était pas de très ancienne noblesse, mais les distinctions qu'il avait reçues, le rang qu'à la cour avait tenu son père, le mettaient presque au rang des grands seigneurs. Sur ses parchemins de famille, après la mort de son père, qui n'avait jamais rougi de ses origines, Michel de Montaigne avait gratté de son mieux le nom de famille des Eyquem qui sentait un peu trop le commerçant de Bordeaux, pour ne laisser subsister que le nom de sa terre et se rattacher, plus étroitement, par ordre de succession, à l'ancienne famille des Montaigne. L'arrogance du roi le choqua donc tout comme les autres ; il écrivait dans des notes, qu'il osa plus tard reprendre dans son livre et offrir de sa main au roi lui-même : « Contre la forme de nos pères et la particulière liberté de la noblesse de ce royaume, nous nous tenons découvert, bien loin autour des princes, en quelque lieu qu'ils soient ; et, de même qu'autour d'eux, autour de cent autres, tant nous

106

avons de tiercelets et de quartelets de rois. » Le recueil des règlements du conseil du roi nous montre ce qui pouvait irriter Montaigne : « anciennement nos rois étaient servis à table par les gentilshommes étant couverts et ne permettaient pas qu'en leur chambre les princes, seigneurs ni gentilshommes demeurassent nu-tête s'ils ne parlaient au roi ; mais quand le feu Henri III revint de Pologne, il permit que cette liberté fût changée en l'imitation des princes étrangers qu'il avait visités en son voyage. » Il ne se montrait plus à ses peuples comme faisaient ses prédécesseurs, dit encore l'historien de Thou, il ne mangeait plus qu'avec une balustrade qui ne permettait pas de l'approcher, et si on avait quelque placette à lui présenter, il fallait se trouver à l'issue de son dîner où il recevait en courant... Ces commencements dégoûtèrent bien des seigneurs, et on les vit insensiblement abandonner la cour, les uns par mécontentement, les autres par indignation, quelques-uns entraînés par le plus grand nombre. C'était de ces mécontents que devaient se grossir peu à peu les partisans de Henri de Navarre.

Henri de Navarre avait connu, dès son enfance au collège, le duc de Guise. Les catholiques libéraux et tous ceux que ne contentait pas Henri III espérèrent un instant que l'union pourrait se faire entre ces deux puissances ; Michel de Montaigne, arraché un instant à sa retraite, revenu à son ancienne passion pour la diplomatie, crut un instant qu'il pourrait être le médiateur entre les deux anciens ennemis. Il tenta, de près ou de loin, quelques démarches qui ne réussirent guère, mais qui, du moins, le firent connaître du prince de Navarre et compter parmi ses premiers et ses plus fidèles partisans.

Au reste la situation de Montaigne fut rendue singulièrement délicate cette année-là par la publication, au milieu de libelles protestants, du *Discours de la servitude volontaire* d'Étienne de La Boétie qui parut imprimé pour la première fois sous le titre de *Contr'un*. Certes, Michel, comme nous l'avons vu, ne souhaitait nullement défendre Henri III, et s'inquiétait peu de le voir attaqué. Mais en attaquant Henri III, c'était le principe même de la légitimité et de l'intégrité du royaume qu'attaquaient les protestants. Michel était alors arrivé à ce point de sagesse (bien d'accord du reste avec sa prudence personnelle) qui veut garder fidélité au pouvoir même qu'on n'approuve pas et ne réserver pour soi que le conseil ou le blâme. Enfin il lui semblait que l'écrit de son ami tendait à une fin plus noble et plus haute. Lorsqu'ils le lisaient et le repolissaient autrefois tous les deux, ils sentaient bien le plaisir de penser librement, et peut-être dangereusement, contre le pouvoir ; mais tous leurs exemples étaient pris dans l'Antiquité ; le style du livre était celui d'une harangue qui n'eût pu être tenue que sur la place publique d'une cité antique, et la rhétorique dans ce livre leur plaisait peut-être autant que les idées mêmes, se confondait avec elles et semblait éloigner les conséquences de ces idées si hardies. Par prudence de gentilhomme de la Chambre, par sagesse de philosophe, reconstruisant et interprétant comme si elles étaient les siennes les idées de son ami, Michel désavoua l'usage qui avait été fait de ce livre. Il l'écrivit à plusieurs princes et devait plus tard s'en excuser encore :

« Parce que j'ai trouvé que cet ouvrage a été depuis mis en lumière, et à mauvaise fin, par ceux qui cherchent à troubler et changer l'état de notre police, sans se soucier s'ils l'amenderont, qu'ils ont mêlé à d'autres écrits de leur farine, je me suis dédit de le loger ici. Et afin que la mémoire de l'auteur n'en soit intéressée en l'endroit de ceux qui n'ont pu connaître de près ses opinions et ses actions, je les avise que ce sujet fut traité par lui en son enfance par manière d'exercitation seulement, comme sujet vulgaire, et tracassé en mille endroits des livres. Je ne fais nul doute qu'il ne crût ce qu'il écrivait, car il était assez consciencieux pour ne mentir pas même en se jouant ; et sais davantage que s'il eût eu à choisir, il eût mieux aimé être né à Venise qu'à Sarlat ; et avec raison. Mais il avait une autre maxime souverainement empreinte en son âme, d'obéir et de se soumettre très religieusement aux lois sous lesquelles il était né. Il ne fut jamais un meilleur citoyen, ni plus affectionné au repos de son pays, ni plus ennemi des remuements et nouvelletés de son temps ; il eût bien plutôt employé sa suffisance à les éteindre, qu'à leur fournir de quoi les émouvoir davantage ; il avait son esprit moulé au patron d'autres siècles que ceux-ci. »

DÉCOUVERTE DE PLUTARQUE

C'est en 1572 que Jacques Amyot (que Montaigne avait déjà connu à la cour de Charles IX et au siège de Rouen) publia sa traduction française des œuvres morales de Plutarque. Montaigne la reçut la même année et fut émerveillé. Malgré Ronsard et toute son école, l'opinion s'était maintenue que la langue française n'était pas propre à tous les usages, et qu'elle ne pouvait traiter des sujets les plus difficiles et les plus relevés. Ni Froissard, ni Commines ni même Rabelais n'auraient pu détourner Montaigne de cette opinion ; les phrases empêtrées des deux premiers leur attiraient la désavantageuse comparaison avec les Latins. Quant à *Gargantua* et à *Pantagruel,* il n'y voyait qu'un savoureux divertissement. Rien ne lui prouvait encore que l'histoire, que la philosophie pussent s'exprimer en français. Si par hasard même, une œuvre française avait essayé d'aborder l'histoire ou la philosophie, la preuve pour Michel n'eût pas été faite, il aurait toujours pu croire que les bornes du langage avaient forcé l'auteur à borner aussi ses pensées. Mais là, devant cette traduction qu'il savait assez de grec pour apprécier, et pour juger à peu près parfaite, devant son auteur que La Boétie lui avait fait connaître et apprécier dans le texte même et dans quelques fragments de traduction, l'équivalence entre les deux versions apparaissait jusqu'à l'évidence : aucun mot ne manquait, aucune idée n'avait souffert. Peu d'innovations dans le langage. Quelques mots composés, quelques métaphores ingénieuses, quelques expressions détournées, en rendant les mots plus difficiles, trouvaient en même temps à des idées neuves leur expression en langue française. Encore hésitant, flottant peut-être entre les deux langues, entre lesquelles la latine, sa langue maternelle, lui était presque demeurée encore la plus familière, il se décida enfin. Ce n'était pas qu'il eût jamais eu l'idée d'écrire en latin ; mais il cessa au moins de rougir de ses premiers brouillons, de les prendre pour une matière informe. Il avait un modèle sous les yeux, auquel il pouvait se comparer. C'est alors sérieusement qu'il choisit de travailler et de faire œuvre.

QUE SAIS-JE ?

Les savants qui avaient visité le père de Montaigne, et que son fils avait presque tous pu connaître, continuèrent après sa mort de passer par son château : son fils les honorait autant que l'avait fait Pierre Eyquem. Michel, d'une curiosité plus utile que celle de son père, surtout lorsqu'il commença de former le dessein de son livre, les interrogeait chacun suivant sa spécialité. À ce moment-là, dans les sciences mathématiques, dans l'astronomie, dans les sciences médicales, les querelles étaient vives et les nouvelles découvertes n'avaient pas encore fini d'étonner ; Michel voyait ses hôtes émettre sur les mêmes matières, les uns après les autres, des avis différents sur la même question ; il s'en était amusé d'abord, bientôt il ne chercha plus qu'à s'y instruire et à codifier cette contradiction universelle. Il reprenait la traduction qu'il avait faite quelques années auparavant de la *Théologie naturelle* de Raymond de Sebonde ; la faiblesse de cette argumentation, maintenant qu'il avait plus qu'à cette époque-là fréquenté les philosophes, la faiblesse surtout des arguments de

Sebonde lui apparut mieux. Il résolut de tirer parti de cette nouvelle lecture et de cette découverte : combattre les arguments de Sebonde, et le réfuter tout entier, c'était une chose impossible et peut-être dangereuse : ne savait-il pas qu'il risquait ainsi de combattre, avec leur apologiste, les propositions les plus orthodoxes et de se faire condamner à Rome ? En outre, il gardait à l'homme qu'il avait traduit quelques tendresses d'âme, il ne voyait pas sans déplaisir les objections que d'autres théologiens avaient faites à ce livre ; quelquefois des lectrices, à qui il avait envoyé la *Théologie naturelle* et à qui d'autres avaient déconseillé le livre, demandaient au traducteur des arguments qui pussent le défendre. Montaigne pensa donc qu'il pouvait essayer, tout en se jouant de la théologie naturelle, de renverser toutes les manières d'argumenter, les fondements mêmes des sciences de son temps, la doctrine d'Aristote et tout ce qu'on nommait alors le principe de la raison.

C'était le moment où Henri de Navarre s'échappait du Louvre et prenait le commandement de l'armée protestante, où la ligue catholique, de son côté, réunissait tous les fanatiques. Mais Michel n'avait jamais été si loin que cette année-là des réalités de la politique. Il fit frapper à son effigie une médaille où on lisait la devise : « Que sais-je ? » et il commença l'apologie de Raymond de Sebonde.

On avait reproché à Sebonde de ne se servir que de la raison humaine pour démontrer les plus divines vérités : il fallait d'abord se débarrasser de ces arguments dangereux, et qui n'intéressaient en rien le projet de Montaigne. Il déclara donc : « C'est la foi seule qui embrasse vivement et certainement les hauts mystères de notre religion ; mais ce n'est pas à dire que ce ne soit une très belle et très louable entreprise d'accommoder encore au service de notre foi les outils naturels et humains que Dieu nous a donnés. Il ne faut pas douter que ce ne soit usage le plus honorable que nous leur puissions donner... » À cette occasion Michel pouvait, sans nullement se compromettre, et même en ayant l'air de servir la cause catholique, se permettre d'attaquer tous les gens de son temps et de combattre, au nom de la foi même, les guerres religieuses de ce temps : « Confessons la vérité : qui trierait de l'armée, même légitime, ceux qui marchent par les seules ailes de l'affection religieuse, et encore ceux qui regardent seulement la protection des lois de leur pays, ou service du prince, il n'en saurait bâtir une compagnie de gendarmes complète... Je vois cela évidemment, que nous ne prêtons volontiers à la dévotion que les offices qui flattent nos passions. Il n'est point d'hostilité excellente comme la chrétienne ; notre zèle fait merveille, quand il va secondant notre pente vers la haine, la cruauté, l'ambition, l'avarice, la défection, la rébellion... »

Cette pointe lancée, il pouvait aborder son dessein et combattre, en ceux qui attaquaient les raisons de Sebonde, la raison humaine et tous les moyens de la logique. Là il pouvait y aller plus franchement : « Le moyen que je prends pour rabattre cette frénésie, et qui me semble le plus propre, c'est de froisser aux pieds l'orgueil et l'humaine fierté. Leur faire sentir l'inanité, la

115

vanité et la dénéantise de l'homme, leur arracher des poings les chétives armes de leur raison. » Michel s'amusait alors à supposer une âme tantôt aux astres, tantôt aux bêtes, et à faire de l'intelligence des animaux une sœur bien peu défavorisée de l'intelligence humaine. Il fallait remettre l'homme à sa place dans l'univers : nous ne sommes ni au-dessus ni au-dessous du reste. « Sous le ciel, dit le sage, court une loi et fortune pareille. Il y a quelque différence, il y a des ordres et des degrés, mais c'est sous le visage d'une même nature. » Là, Montaigne, en citant deux fois Lucrèce, montrait dangereusement les sources épicuriennes de sa pensée.

Puis il se tournait à considérer le tour du monde et la connaissance que nous en pouvons avoir, pour donner à l'instinct des avantages sur la raison. À toutes ces occasions, d'ailleurs, Montaigne profitant avec bonheur de ses humeurs butineuses, enfilait bout à bout toutes les anecdotes sur les bêtes qu'il avait pu tirer de l'Antiquité.

Puis il attaquait de front notre ambition de savoir. La logique et la science sont parfaitement inutiles. Michel justement, comme il était en train d'écrire l'apologie de Raymond de Sebonde, sentit les premières atteintes du mal qui avait emporté son père ; il appela les plus savants médecins, qui lui apprirent qu'il avait la colique néphrétique, mais ne purent à peu près rien pour le soulager. Il s'on vengea sur la science des Anciens : « De quels fruits pouvons-nous estimer avoir été à Varron et Aristote cette intelligence de tant de choses ?... Ont-ils tiré de la logique quelques consolations à la goutte ? Pour avoir su que cette humeur se loge aux jointures, l'en ont-ils moins sentie ? » Et Michel utilisait contre Aristote et l'école de saint Thomas l'ignorance préconisée par les premiers pères : « La peste de l'homme, c'est l'opinion de savoir : voilà pourquoi l'ignorance nous est tant recommandée par notre religion, comme pièce propre à la créance et à l'obéissance : prenez garde que personne ne vous séduise par la philosophie et par de vaines subtilités selon les doctrines du monde (saint Paul). »

À ce moment déjà, Michel de Montaigne s'écartait, et pour n'y jamais revenir, des préceptes stoïciens, des maximes superbes et raides qui l'avaient autrefois étonné, et que quelque temps, en souvenir d'Étienne, il avait pu considérer avec quelque affection : « La philosophie, au bout de ces préceptes, vous renvoie aux exemples d'un athlète ou d'un muletier, auxquels on voit ordinairement beaucoup moins de sentiment de la mort, de douleur, et d'autres inconvénients, et plus de fermeté, que la science n'en fournit jamais à aucun qui n'y fut né, et préparé de soi-même par habitude naturelle. »

Là, Michel rejoignait une des acquisitions les plus récentes et les plus complètes de sa propre pensée, il touchait à la force de l'imagination. Du temps qu'il siégeait au parlement de Bordeaux et qu'il avait vu les sorciers et les visionnaires confesser eux-mêmes la vérité de leurs visions ; durant toute sa vie, lorsque devant quelque peine et quelque mal il avait eu plus de peur que l'événement, par la suite, ne lui en semblait mériter, il s'était dit que notre opinion sur les choses a plus d'importance que leur réalité ; que ce n'est pas notre corps

117

qui nous fournit les images fausses et les douleurs anticipées, mais que tout le mal est dans notre opinion : « Ils croient voir ce qu'ils ne voient pas », écrivait-il ailleurs, et il tournait la connaissance de ce pouvoir de l'imagination au bon usage de la vie. Dans l'apologie de Raymond de Sebonde, il pouvait s'en servir pour accabler encore l'esprit humain. Et il ajoutait, aux méfaits de l'imagination, les méfaits de la science et de ses prévisions. « Combien en a rendu malades la seule force de l'imagination ? Nous en voyons ordinairement se faire saigner, purger et médeciner, pour guérir des maux qu'ils ne sentent que dans leurs discours. Lorsque les vrais maux nous faillent, la science nous prête les siens. » Et Michel, commençant là une pensée qu'il devait nourrir sans cesse et qui devait prendre dans sa pensée de plus en plus de place jusqu'à l'heure de sa mort, préférait la sottise et l'ignorance, pour le bonheur de l'homme, à toutes les subtilités du philosophe.

Puis Montaigne s'en prenait aux sectes philosophiques ; c'était l'étude qu'il avait la plus présente à l'esprit ; c'était aussi les erreurs dans lesquelles il avait le plus donné ; il ne s'apprêtait à les combattre qu'avec plus de soin, et Pyrrhon, qu'il suivait alors, lui avait donné le moyen d'aller plus loin dans le doute que presque aucun scepticisme ne l'avait fait encore : jusqu'à douter de l'ignorance même. Mais il ne pouvait se résoudre, tout en condamnant les philosophes, à cesser leur étude ou même à la déconseiller.

Il sentait grandir en lui, à mesure que s'affermissaient et se complétaient l'une par l'autre ses études de l'âge mûr, grandir une subtilité qui lui permettait de suivre les arguments d'autrui sans jamais s'attacher à un seul, d'embrasser d'un coup d'œil, sans avoir besoin d'y ajouter croyance, les plus vastes systèmes du passé. Les univers de Platon, des stoïciens, des épicuriens se développaient l'un après l'autre dans sa pensée, en une méditation presque sans effort, en un jeu supérieur où toutes les recherches, toutes les découvertes et tous les désespoirs de l'esprit ne servaient plus que d'amusement et de spectacle. Ce plaisir valait mieux pour lui que de créer à son tour quelque philosophie ; la continuation de ce jeu valait mieux aussi que la chance de s'arrêter à quelque vérité ; puisque ce genre de jeu lui permettait de jouir de toutes les conceptions et de toutes les vérités, il ne pouvait plus guère se borner à une seule. C'est par là que revivait en lui le plus vif et le plus fin de l'âme hellénique. Dégagé de cet Aristote appesanti qui avait été sa philosophie de collège et dont les dogmes s'ajoutaient pour tant d'autres aux articles de la foi, quand ils ne venaient pas la combattre, il retrouvait non seulement les jeux des sceptiques et de Pyrrhon, mais les plus subtils plaisirs de la dialectique platonicienne et les joies paradoxales des sophistes : « Il ne faut pas trouver étrange, si des gens désespérés de la prise, n'ont pas laissé d'avoir plaisir à la chasse, l'étude étant de soi une occupation plaisante et si plaisante, que parmi les voluptés, les stoïciens défendent aussi celle qui vient de l'exercitation de l'esprit, y veulent de la bride et trouvent de l'intempérance à trop savoir... Plutarque raconte un pareil exemple de quelqu'un qui ne voulait pas être éclairci de ce sur quoi il était en doute pour ne perdre le plaisir de le chercher... Je ne me persuade pas aisément qu'Épicure, Platon et Pythagore, vous aient donné pour argent comptant leurs atomes, leurs idées et leurs nombres : ils étaient trop sages pour établir leurs articles de foi sur choses si incertaines et si débattables. Mais en cette obscurité et ignorance du monde, chacun de ces grands personnages s'est travaillé, d'apporter une telle quelle image de lumière, et ont promené leur âme à des inventions qui eussent au moins une plaisante et subtile apparence, pourvu que, toute fausse, elle se pût maintenir contre les oppositions contraires. »

Continuant les allures de ce jeu supérieur, Montaigne s'exerçait contre nos opinions sur l'immortalité de l'âme et sur les éléments que son siècle avait déjà des sciences positives. Jacques Pelletier, géomètre, lui avait révélé l'existence de la ligne asymptote, et Michel tirait un grand plaisir à douter de nos connaissances les plus claires et des éléments les plus simples de la science. Si, par ailleurs, le système de Ptolémée restait encore presque universellement adopté, paraissant d'ailleurs confirmé par quelques passages des Évangiles, Copernic venait de remettre en crédit l'idée que la terre tourne, et Michel, sans vouloir choisir entre les deux opinions, s'amusait à les maintenir face à face et à les détruire l'une par l'autre.

La pluralité des mondes lui paraissait aussi opinion possible. L'existence d'autres éléments de connaissance que ceux que nos sens nous procurent lui était un argument nouveau, mais dont il usait avec plus de force que Lucrèce, qui peut-être lui en avait fourni la première idée : « La première considération que j'ai sur le sujet des sens, est que je mets en doute que l'homme soit pourvu de tous sens naturels ; je vois plusieurs animaux qui vivent une vie entière et parfaite, les uns sans la vue, d'autres sans l'ouïe : qui sait à nouveau s'il ne nous manque pas encore un, deux, trois et plusieurs autres sens ? Car s'il en manque quelqu'un, notre discours n'en peut découvrir le défaut. » Et c'est par là qu'il échappait au dogme et au système du monde des épicuriens, dont par ailleurs il utilisait la morale.

Un grand hommage rendu à Étienne, son discours sur la force de l'imagination, quelques conseils de sagesse modérée, un discours sur les livres où ses notes barbouillées dans les marges et les pages de garde trouvaient l'occasion de se réunir, des conseils de tolérance, des chapitres d'anecdotes, et de morale familière à l'imitation de Plutarque, tout cela s'entassait peu à peu sur sa table jusqu'à former la véritable et complète matière d'un livre. À l'habitude de relire il pouvait joindre maintenant celle de se relire, et en même temps que le dessein d'imprimer, un tel contentement lui venait qu'il n'avait même pas besoin de la gloire : « Et quand personne ne me lira, ai-je perdu mon temps, de m'être entretenu tant d'heures oisives à des pensements si utiles et si agréables ? » Lui, qui doutait de toute connaissance dogmatique continuait de croire à la connaissance pratique de l'homme, à la connaissance telle qu'un ami en peut avoir de son ami. Du temps de sa jeunesse il aurait souhaité de se connaître dans de vastes actions ; il voyait non sans surprise qu'il pourrait réussir à se connaître dans son œuvre. C'est aussi à ses amis et à sa famille qu'il voulait dédier son œuvre et presque réserver cette connaissance. Une affectation railleuse de modestie accompagnait et voilait ce que cette pensée contenait du fond de lui-même :

« C'est icy un livre de bonne foy, lecteur. Il t'avertit dès l'entrée que je ne m'y suis proposé aucune fin, que domestique et privée ; je n'y ai eu nulle considération de ton service ni de ma gloire ; mes forces ne sont pas capables d'un tel dessein. Je l'ai voué à la commodité particuliere de mes parents et amis : à ce que m'ayant perdu (ce qu'ils ont à faire bientôt), ils y puissent retrouver aucuns traits de mes conditions et humeurs, et que par ce moyen ils nourrissent plus entiere et plus vive la cognoissance qu'ils ont eue de moi. Si ç'eût esté pour rechercher la faveur du monde, je me fusse mieux paré et me presenterais en une marche étudiée. Je veux qu'on m'y voie en ma façon simple, naturelle et ordinaire, sans contention et artifice ; car c'est moi que je peins. Mes défauts s'y liront au vif et ma forme naïve, autant que la reverence publique me l'a permis. Que si j'eusse été entre ces nations qu'on dit vivre encore sous la douce liberté des premieres lois de Nature, je t'assure que je m'y fusse tres-volontiers peint tout entier, et tout nu. Ainsi, lecteur, je suis moi-même la matiere de mon livre : ce n'est pas raison que tu emploies ton loisir en un sujet si frivole et si vain ; adieu donc. »

LE VOYAGE DE MONTAIGNE

Les deux premiers livres des *Essais* furent imprimés à Bordeaux ; mais Michel, aussitôt qu'ils furent composés, les envoya à Paris et bientôt les suivit pour préparer leur succès, et si possible, pour en jouir. La situation était délicate vis-à-vis du roi de France ; en effet, s'il restait toujours gentilhomme de sa chambre, il avait été, en 1577, nommé aussi gentilhomme de la chambre de Henri de Navarre, et l'amitié qui l'unissait à ce denier ne faisait que croître. Henri III, néanmoins, accueillit le livre avec plaisir et traita l'auteur avec amitié. Le succès fut brillant, plus grand même peut-être que Montaigne ne l'avait espéré, il en jouit quelques mois à Paris, puis il commença de former les plans de son voyage.

Les accès de colique néphrétique qui lui duraient déjà depuis trois ans, avaient ramené sur son corps une grande partie de son attention ; désormais la connaissance de lui-même ne devait cesser de prendre l'allure de plus en plus intime et quelquefois la plus aiguë. Ces souffrances étaient vives et peu de chose y pouvait porter remède, mais bien des soucis disparaissaient devant cette maladie. Le souci d'épargner par exemple fut éliminé d'un seul coup, et le coffre où il avait amassé tant d'or, il y puisa largement pour les besoins de son voyage. Il avait d'abord besoin d'aller prendre les eaux à Plombières. Il détestait et méprisait la médecine, mais il avait encore quelque confiance dans les eaux thermales « parce que c'est une potion naturelle, simple et non mixtionnée, qui au moins n'est point dangereuse, si elle est vaine... Il ne leur faut pas ôter aussi qu'elles éveillent l'appétit et facilitent la digestion et ne nous prêtent quelque nouvelle allégresse, si on n'y va du tout abattu de forces. » Il avait déjà visité, pour d'assez brefs séjours, les eaux des Pyrénées. S'il souhaitait cette fois un séjour plus long, c'est peut-être qu'il pensait se trouver mieux ailleurs qu'au milieu de sa famille, et qu'il sentait un besoin de changer de place où la maladie avait peut-être aussi sa part. « Je sais bien, avouait-il plus tard, qu'à le prendre à la lettre ce plaisir de voyager porte témoignage d'inquiétudes et d'irrésolution... Je courrai d'un bout du monde à l'autre chercher un bon an de tranquillité plaisante et enjouée, moi qui n'ai autre fin que vivre et me réjouir... Je sais bien ce que je fuis, mais non pas ce que je cherche. »

Son père, pendant ses voyages, avait tenu un journal méticuleux. Michel en fit autant ; il est vrai que depuis neuf ans il avait tenu le journal de sa vie au milieu de ses livres, mais cette fois son but était autre, et la maladie avait changé le cours de ses pensées ; peut-être aussi ses ambitions. Il avait quitté le roi au siège de La Fère, que dirigeait son ami le maréchal de Matignon, pour accompagner à Soissons les restes de son ami Philibert de Grammont, qui venait d'être tué par un boulet. Le journal commença d'être tenu à Meaux, le 5 septembre 1580. Bertrand de Montaigne, seigneur de Mattecoulon, son frère et pupille, alors âgé de vingt ans, l'accompagnait. Mattecoulon était un homme fort jeune, d'un caractère assez violent. Il eut une part grave à un duel à un moment du voyage où il avait quitté son frère aîné. Brantôme nous prouve par son exemple de Mattecoulon combien les seconds peuvent être utiles dans les duels : « Tout ainsi qu'il y a force autres qui ne veulent point de seconds, desquels arrive force inconvénients que je ne veux m'amuser exprimer, sinon un arrivé par exemple fait à Rome, du temps du pape Grégoire dernier, entre deux autres gentilhommes françois qui estoient la Villate, le baron de Saligny, et Matecolom et Esparezat, garçon et escuyer de la grande escuyerie du roy. Ils s'assignèrent le combat à quatre mille de Rome. Esparezat, auteur de la querelle, se battit contre la Villate son adversaire ; Matecolom second d'Esparezat, se battit contre le baron de Saligny ; et chacun s'estant mis à part assez loing de l'autre de quelque trente pas, après avoir faict leur devoir advint que Matecolom le premier tua son ennemy, et voyant que son second Esparezat estoit long à tuer le sien, encore qu'il fust fort jeune garçon, ainsi que dist Francisco tireur d'armes ; Qu'erano puti, comme estoit aussi Salligny s'en vint aider à Esparezat, et tous deux tuèrent la Vilatte, je crois non pas sans grand'-peine, encores que le jeune homme crioit qu'il n'y avoit raison de se mettre deux sur un. Matecolom replicquoit : "Que scay-

125

je-aussi ? quant tu aurois tué Esparezat tu me viendrois à tuer si tu pouvais, et me viendrois donner de l'affaire où je ne m'y veux mettre plus que j'y suis et en puis sortir. " Et voylà comment alla ce combat... »

En outre, Michel accompagna son beau-frère Bernard de Casalis qui avait, un an auparavant, épousé Marie de Montaigne, et deux jeunes seigneurs : du Hautoi, gentilhomme lorrain, et d'Estissac, fils d'une amie de Montaigne.

Il resta dix jours à Plombières pour essayer les bains que venait de mettre à la mode le médecin Jean Le Bon. C'était alors la plus joyeuse station thermale de France et les nouveaux mariés venaient souvent y faire leur voyage de noces : « L'homme entre aux bains avec des marrones ou braies ; la femme avec sa chemise d'assez grosse toile... On se baigne pêle-mêle, tous ensemble, d'allégresse joyeuse. Les uns chantent, les autres jouent d'instruments, les autres y mangent, autres y dorment, autres y dansent, de manière que la compagnie ne s'y ennuie point ni jamais n'y trouve le temps long. »

Au reste les bains de Plombières se montraient entièrement inefficaces et les voyageurs se dirigèrent vers la Suisse, par Mulhouse et Bâle.

En passant à Bâle, où il se plaignait de la saleté des hôtelleries, Montaigne rencontra François Hatman, auteur d'un pamphlet latin : *De furoribus gallicis* qui, publié en même temps que le *Contr'un*, avait contribué en 1574 à la révolte des protestants. En outre, Hatman, reprenant plus directement et avec plus de violence les idées de La Boétie, avait composé des traités de politique, où il conviait le peuple à se révolter contre les Valois. Montaigne controversa amicalement avec lui ; ami de tous les gens de savoir et bons latinistes, dégagé de toutes obligations civiles ou religieuses par sa retraite des fonctions publiques et la liberté du voyage, il l'invita à dîner, ne permit pas à la controverse de jamais tourner à la dispute, et, enchanté de l'esprit et du caractère de cette nouvelle relation, il continua avec lui une correspondance amicale.

Il regrettait cependant de s'être engagé dans ce voyage avec quelque légèreté et de n'avoir par exemple personne dans sa suite qui parlât l'allemand, chose dont il sentait partout le besoin.

À mesure qu'ils avançaient, les étapes se faisaient de plus en plus nombreuses et les séjours de plus en plus courts. Peu satisfait des mauvaises auberges dans lesquelles il descendait et plus gravement tourmenté de sa maladie au repos qu'à cheval, Montaigne voulait toujours rester en selle et infligeait aux jeunes gens qui l'accompagnaient des étapes que ceux-ci trouvaient presque trop rudes.

Il fit un détour pour visiter les belles villes d'Allemagne ; c'est ainsi qu'il vit Augsbourg où les corps de ville leur firent offrir un vin d'honneur ; il dut renoncer à aller voir le Danube, où l'auraient pourtant attiré tous ses souvenirs d'Antiquité, et il dut se diriger vers Munich et le Tyrol. La saison était avancée, mais la température était douce : « Nous nous engouffrâmes tout à fait dans le ventre des Alpes, raconte-t-il, par un chemin aisé, commode, et amusément entretenu, le temps beau et serein nous y aidant fort. » Il continuait de dicter à son secrétaire le journal de son voyage, mais il y mettait autre chose que des considérations de médecine : « Ce vallon semblait à M. de Montaigne, écrit le secrétaire qui tient la plume à la place de son maître, représenter le plus agréable paysage qu'il eût jamais vu, tantôt se resserrant, les montagnes venant à se presser, et puis s'élargissant asteure de notre côté, qui étions à main gauche de la rivière, et gagnant du pays à cultiver et à labourer dans la pente même des monts, qui n'étaient pas si droits, tantôt de l'autre part ; et puis découvrant des plaines à deux ou trois étages l'une sur l'autre et tout plein de belles maisons de gentilhommes et des églises. » Les Alpes traversées, ils passèrent par Velargne et arrivèrent à Vérone. Là une chose étonna Montaigne. Alors que l'âpreté des guerres de Religion avait renforcé, en France au moins, les simulacres de la foi, en Italie on ne sauvait même pas les apparences : « Nous fûmes voir le dôme où il trouvait la contenance des hommes étrange, un tel jour à la grand'messe ; ils devisaient au cœur même de l'église, couverts de boue, le dos tourné vers l'autel et ne faisant contenance de penser au service que lors de l'élévation. Il y avait les orgues et les violons qui les accompagnaient à la messe. » Puis Montaigne se dirigea vers Venise. Là, malgré les accès de sa maladie, il trouva la ville charmante (sauf quelques désillusions sur la beauté des femmes) par la facilité de sa vie et la liberté de ses mœurs : « Le mardi après-dîner il eut la colique qui lui dura deux ou trois heures, non pas des plus extrêmes à le voir, et avant souper, il rendit deux grosses pierres l'une après l'autre.

« Il n'y trouva pas cette fameuse beauté qu'on attribue aux dames de Venise, et si vit les plus nobles de celles qui en font trafic ; mais cela lui sembla autant admirable que nulle autre chose, d'en voir un tel nombre, comme de cent cinquante ou environ, faisant une dépense en meubles et vêtements de princesses ; n'ayant autre fond à se meintenir que de ce trafic et plusieurs de la noblesse de là même, avoir des courtisanes à leurs dépens, au vu et su d'un chacun. Il louoit pour son service une gondole, pour jour et nuict, à deux livres qui sont environ dix sept sols, sans faire nulle dépense au barquerol. Les vivres y sont chers comme à Paris ; mais c'est la ville du monde où on vit à meilleur compte, d'autant que la suite des valets nous y est du tout utile, chacun y allant tout seul ; et la dépense des vêtements de mêmes, et puis qu'il n'y faut nul cheval. »

À Sienne, Montaigne trouve le souvenir des campagnes de son père. Enfin, le 30 novembre, il arriva à Rome où il descendit d'abord dans un hôtel, puis dans une maison privée en face de l'église de Sainte-Lucie. Ni archéologue, ni humaniste, ni de l'humeur des voyageurs qui racontent les beautés des monuments qu'ils ont visités, Montaigne ne fut vraiment étonné et surpris que devant le Monte Testaccio, la Butte aux Tessons où la Rome antique avait pendant quelques siècles accumulé ses pots cassés, c'est là seulement ce qui lui donna le sentiment de la grandeur romaine. « Que cela de voir une si chétive décharge, comme de morceaux de tuiles et pots cassés, être anciennement arrivée à un monceau de grandeur si excessive, qu'il égale en hauteur et largeur plusieurs naturelles montagnes — car il le comparait en hauteur à la motte de Gurson, et l'estimait double en largeur, — c'était une expresse ordonnance des destinées, pour faire sentir au monde leur conspiration à la gloire et prééminence de cette ville par un si nouveau et extraordinaire témoignage de sa grandeur. »

Montaigne alla visiter le pape, et il en fut fort bien traité. Mais la police, à son arrivée, avait pris ses livres pour les faire examiner et les ecclésiastiques chargés de l'examen firent des *Essais* quelques critiques. Comme par ailleurs l'accueil que recevait Montaigne devenait de plus en plus flatteur, le maître du Sacré-Palais adoucit encore les critiques anodines qu'on lui avait faites à la lecture du livre. « Il me pria, dit Montaigne, de ne me servir point de la censure de mon livre en laquelle d'autres Français l'avaient averti qu'il y avait plusieurs sottises ; qu'il honorait et mon intention et affection envers l'Église et ma suffisance, et estimait tant de ma franchise et conscience qu'il remettait à moi-même de retrancher en mon livre, quand je le voudrais réprimer, ce que j'y trouverais trop licencieux, et entre autres choses, les mots de : fortune. »

En outre il sollicita et obtint, à sa grande joie, le titre de citoyen romain. C'était là un effet de la même vanité qui lui avait fait gratter le nom bourgeois de son père sur ses parchemins de famille. Mais là, l'amour de l'Antiquité y trouvait son compte tout comme la vanité.

Il quitta Rome pour aller faire ses dévotions à Notre-Dame de Lorette. Il les fit avec convenance, et même avec quelque zèle, et sans inquiétude excessive, sans tourment, sans nul dessein d'abandonner la terrestre philosophie. Il n'y avait guère de compatibilité entre sa pensée et une pensée chrétienne ; mais il était catholique sincère sans trouver en soi de contradiction : la religion était pour lui rejetée tout entière parmi les cérémonies, et jamais l'accomplissement de ses devoirs de catholique ne se rencontrait avec ses pensées les plus libres.

Il revint à Rome, et c'est là qu'il apprit qu'il venait d'être nommé maire de Bordeaux. Il n'avait guère l'intention d'accepter, surtout maintenant proche de la cinquantaine et malade, un poste aussi délicat et aussi dangereux. Néanmoins, il quitta Rome, laissant une partie de sa suite, dans laquelle l'imprudent Mattecoulon allait courir quelques aventures, d'où devait le tirer l'amitié de son frère et de l'ambassadeur, de Foix.

Il revint par Chambéry, Lyon, Limoges et Périgueux. En arrivant chez lui, il trouva une lettre du roi Henri III qui le forçait d'accepter la mairie de Bordeaux. « Monsieur de Montaigne, disait le roi, pour ce que j'ai en estime grande votre fidélité et zélée dévotion à mon service, ce m'a été plaisir d'entendre que vous avez été élu major de ma ville de Bordeaux, ayant eu très agréable et confirmé ladite élection et d'autant plus volontiers qu'elle a été faite sans brigue et en votre lointaine absence. À l'occasion de quoi mon intention est, et vous ordonne et enjoins bien expressément, que sans délai ni excuse reveniez au plutôt que la présente vous sera rendue, faire le dû et service de la charge où vous avez été si légitimement appelé. Et vous ferez chose qui me sera très agréable, et le contraire me déplairait grandement. »

LA MAIRIE DE BORDEAUX

Le maréchal de Biron, auquel succédait Montaigne, avait mécontenté les Bordelais par sa sévérité. Il s'était fait des ennemis de Henri de Navarre et de la reine Marguerite. Cependant Henri de Navarre était à cette époque assez fort pour empêcher sa réélection, ou celle d'aucun de ses amis. Au contraire, Michel de Montaigne avait laissé à Bordeaux, outre la vénération qu'on continuait d'avoir pour son père, une réputation de douceur qui le rendait souhaitable même à ses ennemis politiques. De plus, la retraite de Montaigne faisait qu'aucun parti ne l'avait compromis encore. Dans son château de Montaigne il voyait passer les troubles non sans inquiétude, mais sans réaction vive ; comme dans la région catholiques et huguenots y dominaient tour à tour, et qu'il avait des amis dans les deux partis, en cas de défaite chacun, en s'enfuyant, lui laissait ce qu'il avait de plus précieux, et cette fonction de trésorier et de médiateur, précieuse au milieu de l'incertitude de ces guerres, lui avait valu non seulement son salut, mais encore une vénération presque générale. Pourtant Montaigne était inquiet, son père avait trop travaillé dans cette mairie ; lui-même en y étant appelé allait avoir à prendre parti. Le parti qu'il prit et qui procédait de la même modestie que la dédicace des *Essais* fut de faire en arrivant au parlement et aux jurats la harangue suivante : « Messieurs, vous m'avez nommé maire de votre ville, le roi veut que j'accepte cette dignité, dont je me tiens fort honoré. Mais peut-être m'avez-vous élu en vénération de mon père et dans l'espoir que je continuerais envers vous son zèle et ses pratiques. Mais je veux me déchiffrer fidèlement et consciencieusement à vous, tel que je me sens être. Je n'ai ni mémoire, ni vigilance, ni expérience, ni vigueur, voire même pas ce qu'il en faudrait pour régir mon domaine particulier. Je n'ai non plus aucune haine, ni ambition, ni avarice, ni violence. Je ne veux pas dire que je n'agirai point pour vous, et je compte donner aux charges publiques ce que la maladie et l'âge ont voulu me laisser de force ; mais aussi je compte le donner sans passions, même louables, et non pas épouser aucune des autres. »

Les Bordelais, qui peut-être, voyaient là une satire contre le maréchal de Biron, accueillirent bonnement cette harangue. La mairie devait durer deux ans. Elle ne touchait que de loin à l'administration de la ville, qui était presque entièrement dévolue aux jurats. Son rôle était de s'entendre avec le gouvernement royal, avec tous les pouvoirs voisins, de maintenir la ville dans la fidélité du haut prince, d'organiser les cérémonies.

Le 26 janvier 1582, au couvent des Jacobins, il assista à la première séance de la chambre de justice de Guyenne, dont l'avocat général était son ami Antoine Loysel. Au cours de la même année, il obtint la suppression temporaire des droits de douane imposés au commerce de Bordeaux. À cette occasion, il fit à la cour un voyage, porteur d'une requête en douze articles, dont presque tous lui furent accordés.

En juin 1582, une plainte avait été faite contre la manière dont les jésuites s'occupaient des enfants abandonnés : il fit retirer cette charge aux jésuites, et même presque contre leurs droits, pour la laisser entièrement aux soins des magistrats de la ville.

Cependant son amitié avec le maréchal de Matignon s'affermissait de jour en jour ; les deux années de sa première mairie avaient été calmes, la position de Montaigne à la Cour et auprès de Henri de Navarre le rendait de plus en plus précieux aux Bordelais ; il fut réélu au mois d'août 1583.

Cependant quelques fanatiques, mécontents de cette réélection, essayaient de la présenter comme contraire aux statuts de la ville, mais un arrêté du Conseil du roi donna raison à Montaigne.

D'autres difficultés se présentaient pour Bordeaux : la liberté du trafic de la Garonne menaçait d'être arrêtée par les gens du Mas de Verdun. Une adresse fut donc envoyée au roi de Navarre, leur seigneur, pour le prier de rétablir la liberté des communications. Montaigne rédigea l'adresse : « Remontrerons au dit seigneur roi de Navarre que les provinces et villes ne peuvent être maintenues et conservées en leur estat sans la liberté du commerce, laquelle par la communication libre des uns avec les autres cause que toutes choses y abondent et par ce moyen le laboureur de la vente de ses fruits nourrit et entretient sa famille, le marchand trafique des denrées et l'artisan trouve prix de son ouvrage, le tout pour supporter les charges publiques et d'autant que le principal commerce des habitants de cette ville se fait avec les habitants de Toulouse et autres villes qui sont sises sur la Garonne tant pour le faict des bledz, vins pastelz, poissons que laynes et que les ditz maires et jurats ont esté advertis par ung bruict commun que ceulx du mas de Verdun sont resolus soubs prétexte du default de paiement des garnizons des villes de seureté octroïees par l'edict de pacification d'arrester les bapteaux chargés de marchandises tant en montant qu'en descendant par la dite rivière de Garonne ce qui reviendroit à la totale ruyne de ce païs.

« Sera le dict seigneur roy de Navarre supplié de permettre l'arrest des dicts bapteaux et marchandizes estre faict tant audict mas de Verdun que aultres villes de son gouvernement ; ainsi conserver et maintenir la liberté du commerce entre toutes personnes suyvant les edictz du roy. »

C'est vers la fin de 1583 que la mairie devint chose difficile : Henri de Navarre se brouilla avec Henri III et s'empara du mont de Marsan. Le maréchal de Matignon, gouverneur de Guyenne, se trouva fort embarrassé. Montaigne s'interposa comme médiateur pour transmettre et présenter les lettres de l'un et de l'autre. Il s'occupa en outre de réconcilier Henri de Navarre avec la reine Marguerite.

La plus grosse difficulté était d'empêcher la

Ligue de s'emparer de Bordeaux. À la fin de 1584, Henri de Navarre devenu l'héritier légitime du trône de France depuis cinq mois, par la mort du duc d'Alençon, vint visiter avec sa cour le château de Montaigne. Là peut-être ils s'entendirent pour l'avenir et Michel lui conseilla sans doute de travailler d'abord à abattre la Ligue, et de se convertir à la religion de la majorité de son peuple dès que le zèle de ses partisans pourrait le lui permettre. En 1585, la Ligue se releva de plus en plus. Elle espéra s'emparer de la ville de Bordeaux. Le château Trompette, citadelle de la ville, était commandé par le baron de Vaillac, dévoué à la Ligue ; Montaigne et le maréchal de Matignon réussirent à lui enlever à l'amiable son gouvernement. Mais Matignon dut partir pour défendre Agen. Montaigne alors le remplaça, présida les jurats, fit monter la garde aux portes de la ville, et travailla par relations personnelles à s'assurer le plus de fidélité possible dans la ville de Bordeaux.

Une revue devait avoir lieu ; mais une partie des soldats était dévouée à la Ligue et les jurats craignaient d'être tués à la faveur des salves et de voir commencer une sédition. Montaigne, au contraire, trouvant plus dangereux encore de décommander la revue, fut d'avis de ne donner aucun signe du soupçon qu'on avait contre les soldats : « et qu'on s'y trouvât et mêlât parmi les files, la tête droite et le visage ouvert, et qu'au lieu d'en retrancher aucune chose (à quoi les autres opinions visaient le plus) qu'au contraire on sollicitât les capitaines d'avertir les soldats de faire leurs salves belles et gaillardes en l'honneur des assistants et de n'épargner la poudre. »

Cette attitude ramena la fidélité des troupes. Il fallut encore défendre quelque temps la ville contre les entreprises du baron de Vaillac. Enfin le maréchal de Matignon put rentrer et Montaigne, qui n'avait plus qu'un mois à être maire, retourna chez lui. À ce moment une peste éclata à Bordeaux ; la lutte contre le fléau n'était point du ressort de Montaigne, dont les fonctions étaient toutes politiques et nullement municipales. Il laissa donc la ville aux soins des jurats. Ceux-ci ne lui envoyèrent, pour la forme, qu'une convocation d'assister à une cérémonie, et ne s'étonnèrent point qu'il songeât, au moment même où sa mairie finissait, à se mettre à l'abri lui et les siens aussi loin qu'il pouvait.

FAVEURS DE FORTUNE

Dès que la peste lui eut laissé quelque repos, il s'attacha à rassembler de nouvelles notes, à compléter de son expérience nouvelle les deux premiers livres des *Essais*, et à y ajouter un troisième livre. Cependant, il ne gardait plus la retraite aussi fidèlement qu'autrefois. Il reprit les armes plusieurs fois dans l'armée du roi, même contre son ami le roi Henri de Navarre.

Non loin de son château il servait sous les ordres du duc de Joyeuse à la bataille de Coutras. Il accompagnait le maréchal de Matignon qui commandait les réserves. Tous deux étaient les amis du roi de Navarre, et Bertrand de Montaigne, le cadet de Michel, servait dans l'armée adverse. Ni Matignon, ni Montaigne ne songèrent à manquer à leur loyauté envers le roi et à passer à l'ennemi. Les réserves étaient assez éloignées quand la bataille éclata. Matignon, par réaction naturelle de soldat, voulait pousser ses troupes sans avoir reçu d'ordre à la bataille. Montaigne, à cheval à côté de lui, le retint en souriant : « Notre honneur nous demande fidélité, lui dit-il, mais il

139

ne nous commande point de zèle », et tous deux ralentirent l'allure. « Faisons-nous bien notre devoir ? demanda pourtant Matignon. — Je le crois, et Dieu le sait », répondit paisiblement Montaigne.

Joyeuse fut battu et tué ; deux jours après, Henri de Navarre soupait de nouveau chez Montaigne.

Montaigne, qui voyait triompher le prince en qui il avait mis son espoir, était trop fatigué pour se mêler encore longtemps à la politique. En 1588, au moment où il faisait imprimer les *Essais*, le duc de Guise chassa le roi de Paris. Montaigne suivit le roi à Rouen, puis il revint à Paris pour ses affaires ; là il fut arrêté comme ami du roi et mis à la Bastille, mais il n'y resta que huit heures, ne fut même pas enfermé et resta constamment dans la cour. Catherine de Médicis le fit délivrer le soir même.

Quand Henri de Navarre fut enfin roi, il écrivit à Montaigne pour le prendre à son service ; à ce moment Montaigne était vieux, plus fatigué que jamais ; il ne désespéra point pourtant de rejoindre un jour le roi et lui écrivit :

« Sire, je prends en très grand honneur de recevoir vos commandements et n'ai point failli d'écrire à M. le maréchal de Matignon trois fois bien expressément la délibération et obligation en quoi j'étais de l'aller trouver... À quoi n'ayant eu aucune réponse, j'estime qu'il a considéré pour moi la longueur et le hasard des chemins. Sire, Votre Majesté me fera, s'il lui plaît, cette grâce de croire que je ne plaindrai pas ma bourse aux occasions auxquelles je ne voudrais épargner ma vie.

Je n'ai jamais reçu bien quelconque de la libéralité des rois, non plus que demandé ni mérité, et n'ai reçu nul paiement des pas que j'ai employés à leur service, desquels Votre Majesté a en partie connaissance ; ce que j'ai fait pour ses prédécesseurs, je le ferai encore plus volontiers pour Elle. Je suis, Sire, aussi riche que je le souhaite ; quand j'aurai épuisé ma bourse auprès de Votre Majesté, à Paris, je prendrai la hardiesse de le lui dire, et lors, si Elle m'estime digne de me tenir plus longtemps à sa suite, Elle en aura meilleur marché que du moindre de ses serviteurs (2 septembre 1590). »

DERNIER LIVRE DES *ESSAIS*

Des amis venaient à lui, d'abord Pasquier, qui reprochait aux *Essais* quelques fautes de langue et particularités dialectales, et croyait naïvement que Montaigne s'en corrigerait ; Charron, âme simple, honnête et religieuse, qui cherchait dans les *Essais* son édification personnelle, et rêvait quelquefois à part lui d'un livre plus méthodique et plus sérieux.

Cependant Michel s'occupait de plus en plus de soi-même ; son expérience s'était encore enrichie par une vie publique plus réelle, mais surtout la maladie le tournait sans cesse à nouveau vers son propre corps, ses goûts et ses comportements. Cette complaisance à soi, il l'avait aimée ; une vaste et intellectuelle coquetterie de soi se voyait, chez le cinquantenaire malade, laisser la place libre par une pudeur et une dignité corporelle à demi oubliée. Il revoyait ses deux premiers livres, pour s'y reconnaître, pour s'y aimer et les enrichir d'expériences nouvelles ; il complétait un trait, il creusait sur son portrait, quelquefois, ce qu'il avait oublié de marquer autrefois, quelquefois aussi ce dont les ans avaient fait une ride.

Enfin il avait trouvé sa propre sagesse et il s'y complaisait. Dans le vaste mouvement de son siècle, qu'il dominait de son ample et facile regard, il savait qu'il avait ouvert une voie nouvelle, et qu'il y serait suivi. Humanistes, aristotéliciens et réformés avaient restauré la science antique et voulu continuer la morale chrétienne ; lui s'était élevé contre cette fausse science et avait tenté de continuer la morale antique. Et alors que les sages anciens avaient tous appuyé leurs préceptes sur une force de caractère qu'ils exigeaient sans la procurer, lui seul avait fondé sa morale sur la faiblesse de l'humaine condition.

Parfois aussi, arrivé enfin à cette vaste sagesse, que n'appuyait aucun dogme ni aucune foi, qui ne voulait être que pratique et qui, si elle n'était pas utile, n'était rien, il regrettait qu'elle lui fût venue au moment où, lassé de la vie, il n'en profiterait plus. Moutarde après le rôt. Cette connaissance de soi-même, il savait bien que ce n'était que l'ombre de la véritable amitié. Si ce livre où il s'étalait pouvait lui valoir un ami tel qu'Étienne, combien vite il aurait, songeait-il, quitté la plume pour lui apporter des *Essais* en chair et en os ! Mais par instant il se croyait devenu trop vieux même pour l'amitié. L'avarice naturelle aux hommes en déclin, s'il ne la sentait plus pour sa bourse, il la sentait plus vivement pour ses forces ; en même temps qu'une recension indiscrète de soi-même, il faisait de son troisième livre comme une vaste économie de lui-même. Les sauvages, les étrangers, les anciens, tout cela qui ne l'étonnait plus, il n'en usait que pour s'assainir et non plus par curiosité. De plus en plus, il aimait humilier ses connaissances par l'exemple des humbles gens. « J'avais cru autrefois, songeait-il, qu'il fallait se rendre attentif aux maux pour bander contre eux son âme ; le mieux est de leur tourner le dos, de les oublier, ou de laisser au moins son imagination inerte et assoupie. » Il y avait gagné que ses peines corporelles avaient fini par lui devenir comme étrangères ; il les souffrait sans en interrompre sa conversation, et presque sans y penser, étonnant ses amis par le contraste de ses paroles enjouées avec ses grimaces verdissantes.

Six cents additions aux deux premiers livres ; un livre nouveau ; il alla porter tout cela à Paris au moment des troubles les plus graves. Dévalisé en route, arrêté à Paris, il devait, par surcroît, rencontrer Mademoiselle de Gournay.

C'était une vieille fille, encore jeune, mais dont la vocation devançait les années. Il en souffrit bonnement les enthousiasmes immodérés ; il la mit dans son livre ; la sentant trop attachée à la lettre, mais toute dévouée, il lui confia ses œuvres posthumes. Quelquefois, quand le tracas de son mal lui rendait le goût des voyages, il allait chez elle se désennuyer de sa maison, et se laisser adorer.

LA MORT DE MONTAIGNE

En 1592, il commença à s'affaisser et à ne plus dominer que difficilement ses ruines. Il ne sortait plus guère, quand il se trouvait à Montaigne, de la tour où se trouvait sa librairie.

Sa seule promenade était la crête du mur qui se trouvait de plain-pied avec cet étage de la tour. De là il pouvait surveiller ses fermiers, héler ses jardiniers et ses valets, mais il ne s'en occupait plus guère, et négligeait de plus en plus son bien comme sa personne.

Les vives souffrances de ses reins et de sa vessie l'avaient contraint aux vêtements flottants, qu'il gardait par nonchalance, même dans les intervalles de ses crises. Il ne s'entretenait plus guère avec personne qu'avec Mademoiselle de Gournay, sa fille, ou des disciples disposés à tout lui passer et à le trouver toujours aussi net et aussi fringant que son style. Il ne se faisait plus guère ni peigner ni raser et croyait s'apercevoir que les préoccupations qu'il avait de son corps étaient descendues de sa tête à sa vessie et à ses coliques. Pourtant cette tête que la nonchalance et la douleur corporelle maintenaient toujours affaissée soutenait encore avec facilité toutes les pensées de sa jeunesse, et continuait à embrasser l'univers sans passion comme sans effort. Il continuait de jeter ses notes aux marges de son livre, de se relire et d'ajouter des citations toujours. De longues habitudes et le projet même des *Essais* le condamnaient à ne faire jamais qu'un seul livre et à s'y retrouver sans cesse, mais il commençait à ne plus sentir la même joie qu'autrefois, à se donner rendez-vous, chaque matin, dans les trois livres des *Essais*.

« Les souffrances de mon corps, songeait-il, en me mettant en si constant et continuel exercice, en me lassant aussi et en m'usant l'âme, ont fait que je me connais maintenant, tout déformé et affaibli, de la même façon que mes pieds connaissent mes pantoufles usées. Il ne me reste plus rien à connaître, ni même le bonheur de m'être trompé, car ce que j'ai dit de moi force les autres et moi-même à suivre constamment cette image. Que pourrait faire maintenant pour moi un conseiller ; que pourrait même un ami ? »

Il avait été toujours merveilleusement apte à se regarder soi-même du même œil dont on regarde autrui ; il n'en avait rien perdu à ce moment, car en même temps que la complaisance commune à tous les vieillards pour ses propres comportements, une indifférence négligente à sa personne et à son destin grandissait avec les années. Il avait toujours fui et les passions et la contrainte extérieure ; mais dans cet invincible et général relâchement, il sentait que seule une contrainte ou une passion vive aurait pu vraiment le réveiller. Il reconnaissait de plus en plus la vérité et la force de ce besoin d'amour qui lui était revenu aux premières angoisses de sa vieillesse, et lorsqu'il craignait la défaite maintenant accomplie :

« Je n'ai point autre passion qui me tienne en haleine : ce que l'avarice, l'ambition, les querelles, les procès, font à l'égard des autres, qui, comme moi n'ont point de vacation assignée, l'amour le ferait plus commodément ; il me rendrait la vigilance, la sobriété, la grâce, le soin de ma personne ; rassurerait ma contenance, pour que les grimaces de la vieillesse, ces grimaces difformes et pitoyables, ne vinssent à la corrompre ; me remettrait aux études saines et sages, par où je me pusse rendre plus estimé et plus aimé, ôtant à mon esprit le désespoir de soi et de son usage, et le racontant à soi ; me divertirait de mille pensées ennuyeuses, de mille chagrins mélancoliques dont l'oisiveté nous charge en tel âge, et le mauvais état de notre santé ; réchaufferait, au moins en songe, ce sang que nature abandonne ; soutiendrait le menton, et allongerait un peu les nerfs et la vigueur et allégresse de la vie à ce pauvre homme qui s'en va de grand train vers sa ruine... »

De temps en temps il voyageait en chaise pour se rendre, soit chez des amis, soit chez Mademoiselle de Gournay. Ce fut au château de Gournay que les crises le prirent, plus graves et suivies de plus grandes faiblesses que celles qu'il avait jusqu'à présent subies. Il se rappela la maxime que lui avait inspirée la pensée et le souvenir d'Étienne, et à laquelle maintenant il ne croyait plus, que philosopher c'est apprendre à mourir. « Eh bien Michel, se dit-il, le voici donc venu ce jour auquel tu t'étais tant préparé dans la verdeur de ta jeunesse. » Il est vrai que depuis il avait bien relâché l'ardeur de ses études, et à mesure que la mort approchait de lui, il l'avait davantage oubliée.

Le seul souci, le seul point sensible qui pût lui rester dans le cœur, c'était l'inquiétude de ses amis qu'il s'efforçait de rassurer.

Mademoiselle de Gournay ne vint pas sans quelque appréhension l'avertir que le prêtre était là. Car si ses plus intimes amis connaissaient sur ce point les directions de sa pensée, ils n'étaient point sûrs du fond de sa pensée, surtout à l'heure de la mort. Mais lui s'informa tranquillement du prêtre. Est-il bonhomme ? demanda-t-il. Comme on l'en assurait, il dit : je le verrai donc. Il se laissa exhorter sans rien dire, puis il se confessa de bonne grâce, surtout de son indolence et de son peu de zèle ; une fois absous il communia. Puis, le prêtre sorti, il fit enlever le crucifix et les cierges, et n'y pensa plus.

Il eut des oublis, un délire vague et mêlé de souvenirs, qui lui rappelait à ses moments de lucidité l'accident où il avait si longtemps manqué de connaissance. Sa curiosité devant cet état nouveau travaillait encore par habitude, mais il s'amusait de savoir que cette expérience-là ne serait ni écrite ni employée. Il se demanda s'il avait bien tout fait, testament, adieux et tout. Puis la tranquillité de son esprit et les longs tourments de sa maladie l'amenèrent au désir du repos. Il sourit encore en songeant que ses dernières années avaient eu raison et qu'il n'avait pour cette résignation besoin d'aucun brin de philosophie.

Il se raidit et se tendit comme malgré lui au moment d'entrer en agonie. Mais, déjà presque inconscient, il se ravisa comme par habitude : « Eh quoi Michel, se dit-il, que t'efforces-tu ? Tu n'as point ici de besogne à faire ; on ne t'y demande ni effort ni cérémonie. » Il s'assouplit, se laissa aller, et mourut comme on s'endort.

Table

Avant-propos, par Bernard Delvaille 7

NOTE 19
Enfance de Montaigne 25
Études 29
Montaigne à vingt ans 33
Conseiller aux aides 39
Premières vues du monde 45
Étienne 51
La mort d'Étienne 59
Affaires de famille 73
Querelles au parlement 79
La Théologie naturelle 87
Édition d'Étienne de La Boétie 91
Entrée dans la retraite 95
Début des *Essais* 99
Amitié de Henri de Navarre 105
Découverte de Plutarque 111
Que sais-je ? 113
Le voyage de Montaigne 123
La mairie de Bordeaux 133
Faveurs de fortune 139
Dernier livre des *Essais* 143
La mort de Montaigne 147

Œuvres de Montaigne

dans Le Livre de Poche

Essais, tomes 1,2,3   nº 1393, 1395, 1397

Édition en français moderne, présentée et annotée par Pierre Michel

En 1570, à trente-sept ans, Montaigne se retire dans sa bibliothèque. Il se consacre aux *Essais*, fruit de ses lectures et de son expérience. Il dégage de l'étude de soi une connaissance personnelle, sceptique et passionnée, que sa distance des croyances communes, politiques, religieuses, philosophiques et morales approfondit peu à peu.

Journal de voyage en Italie   nº 3957

Édition présentée, établie et annotée par Pierre Michel

Une chronique de la vie quotidienne de Montaigne, pendant presque dix-huit mois, à cheval dans les cols alpestres, en pèlerin à Notre-Dame-de-Lorette, en curiste aux bains de Baden et de Lucques, et partout en voyageur vigilant, s'instruisant dans le « grand livre du Monde ».

Dans Le Livre de Poche

(Extrait du catalogue)

Biographies, études...

Badinter Elisabeth
Emilie, Emilie. L'ambition féminine
au XVIIIᵉ siècle (*vies de Mme du Châtelet, compagne de
Voltaire, et de Mme d'Epinay, amie de Grimm*).

Badinter Elisabeth et Robert
Condorcet.

Borer Alain
Un sieur Rimbaud.

Bourin Jeanne
La Dame de Beauté (*vie d'Agnès Sorel*).
Très sage Héloïse.

Bramly Serge
Léonard de Vinci.

Bredin Jean-Denis
Sieyès, la clé de la Révolution française.

Chalon Jean
Chère George Sand.

Champion Jeanne
Suzanne Valadon ou la recherche de la vérité.
La Hurlevent (*vie d'Emily Brontë*).

Charles-Roux Edmonde
L'Irrégulière (*vie de Coco Chanel*).
Un désir d'Orient (*jeunesse d'Isabelle Eberhardt, 1877-1899*).

Chase-Riboud Barbara
La Virginienne (*vie de la maîtresse de Jefferson*).

Chauvel Geneviève
Saladin, rassembleur de l'Islam.

Clément Catherine
Vies et légendes de Jacques Lacan.
Claude Lévi-Strauss ou la structure et le malheur.

Contrucci Jean
  Emma Calvé, la diva du siècle.
Delbée Anne
  Une femme (*vie de Camille Claudel*).
Desanti Dominique
  Sacha Guitry, cinquante ans de spectacle.
Dormann Geneviève
  Amoureuse Colette.
Eribon Didier
  Michel Foucault.
Frank Anne
  Journal.
Girard René
  Shakespeare – Les feux de l'envie.
Giroud Françoise
  Une femme honorable (*vie de Marie Curie*).
Goubert Pierre
  Mazarin.
Kafka Franz
  Journal.
Kremer-Marietti Angèle
  Michel Foucault. Archéologie et généalogie.
Lacouture Jean
  Champollion. Une vie de lumières.
Lange Monique
  Cocteau, prince sans royaume.
Lever Maurice
  Isadora (*vie d'Isadora Duncan*).
Loriot Nicole
  Irène Joliot-Curie.
Mallet Francine
  George Sand.
Michelet Jules
  Portraits de la Révolution française.
Monnet Jean
  Mémoires.
Pernoud Régine
  Héloïse et Abélard.
  Aliénor d'Aquitaine.

Perruchot Henri
   La Vie de Toulouse-Lautrec.
Prévost Jean
   La Vie de Montaigne.
Renan Ernest
   Marc Aurèle ou la fin du monde antique.
   Souvenirs d'enfance et de jeunesse.
Rey Frédéric
   L'Homme Michel-Ange.
Roger Philippe
   Roland Barthes, roman.
Séguin Philippe
   Louis Napoléon le Grand.
Sipriot Pierre
   Montherlant sans masque.
Stassinopoulos Huffington Arianna
   Picasso, créateur et destructeur.
Sweetman David
   Une vie de Vincent Van Gogh.
Thurman Judith
   Karen Blixen.
Troyat Henri
   Ivan le Terrible.
   Maupassant.
   Flaubert.
Zweig Stefan
   Trois Poètes de leur vie (*Stendhal, Casanova, Tolstoï*).

Dans la collection « Lettres gothiques » :
   Journal d'un bourgeois de Paris (*écrit entre 1405 et 1449 par un Parisien anonyme*).

Composition réalisée par EUROCOMPOSITION

IMPRIMÉ EN FRANCE PAR BRODARD ET TAUPIN
Usine de La Flèche (Sarthe).
LIBRAIRIE GÉNÉRALE FRANÇAISE - 6, rue Pierre-Sarrazin - 75006 Paris.

ISBN : 2 - 253 - 06469 - 6   ✥ 30/9710/2